AŞKIN GÖZYAŞLARI
ŞEMS-İ TEBRÎZİ

Biyografik Roman

Karatay Akademi Yayınları – 2010

Copyright© 2010 Karatay Akademi Yayınları

Aşkın Gözyaşları Şems-i Tebrîzi

Yayın Koordinatörü : Mustafa Kemal Avcıoğlu

Editör   : Osman Avcıoğlu
Düzelti   : Yasin Dağtaş
Kapak   : www.masske.com
Tasarım   : Adem Şenel
Baskı-Cilt   : Dizgi Ofset
                  Matbaacılar Sit. 10451. Sk. No:4
                  Tel: 0332.342 07 42
                  Karatay-KONYA

Kitabın ilk baskısı
Haziran 2010 tarihinde yapılmıştır
257. Baskı Mayıs 2011
258. Baskı Mayıs 2011
259. Baskı Mayıs 2011
260. Baskı Mayıs 2011

ISBN : 978-605-113-029-3
Kültür Bakanlığı Sertifika No: 1106-42-003011

Karatay Akademi Yayınları
Fevzi Çakmak Mahallesi
Menemen Sk. No: 34 Karatay/KONYA
Tel: 0332 342 58 44 Fax: 0332 342 58 45
www.karatayakademi.com

Aşkın Gözyaşları
ŞEMS-İ TEBRÎZİ

Biyografik Roman

SİNAN YAĞMUR

Sinan YAĞMUR: 1965'te Hünkar Hacı Bektaş'ın soluğunu üflediği Nevşehir'de doğdu. İlk ve orta öğrenimini Ahi Evran Velî'nin mayaladığı toprakta Kırşehir'de tamamladı. Rüyalar içinde bir rüyanın işareti ile aşkın yurdu Pîr Mevlâna'nın ocağına yürüdü. Takvimler 1985 yılını gösterirken, Tennure'deki ateşe dokundu, parmakları yüreğinin sesine direnemedi. TENNURE VE ATEŞ'i üfledi satır satır ilk kitabı olarak. Aşkın şehidi Şems'in sesini duydu. Dondu. Durdu. Çözüldü harf harf... Güneş'te gözleri kamaşanlara gölgelere sığınmamalarını yazdı. Aşkı sokaklardan sayfalara çekmek için AŞKIN GÖZYAŞLARI'nı topladı beyaz kâğıtlarda. Alevleri ıslatan sayfalar şimdi sizlerin yüreğinde şebnem şebnem aksın diye Güneş'e seslendi:

"Irmaklar kurusaydı deniz olmazdı. Eğer aşk muteber olmasaydı seni senden daha iyi bilen, Adem ve Havva'yı yaratmazdı."

Şems'i "olduğu gibi" yazma yürekliliği gösteren mânaya aşiyan
kalem sahibi Nazan Bekiroğlu Hanımefendi'ye teşekkürlerimle.

ÖNSÖZ

Şems: Beni bugüne kadar doğru yazmayan kalemlere sesleniyorum! Bugünün kalemleri, sözü kendilerinden önce yaşamış hakiki kalemlerden ödünç almadan yazamıyorlar. Ancak o zaman okunabilir sanıyorlar yazdıklarını. Ay gibi onlar. Kendi ışıkları yok... Güneşleri, (Şems'leri)!

Asıl kaynakla ilişkiye girmekten nedense korkuyorlar bu yansıtıcı kalemler. Ya çarpılırsak o ışıktan. Gözlerimiz kamaşırsa. Bugüne kadar bildiğimizi sandığımız her şey doğru değilse... Bütün yazdıklarımızın bir yanılgı olduğu ortaya çıkarsa...

Sahte hayatların içinde yaşayarak nasıl varılır hakikate! Bir ses, bir sözcük nasıl gelir senin kalemine... O zaman hemen sarılırsın işte daha önce yaşanmış, yazılmış o hakiki yazılara... Ve hakikatle doğrudan ilişki kurmak yerine, o meşakkatli yolculuğu yapanların üzerinden bir defa daha yazmaya kalkışırsın, her sahte sözünüzle eksilttiğiniz gibi gerçeği. Beni yazmaya niyetlenen, beni tanımadan nasıl taşıyabilir deryamı çöllerine?

Tasavvufun tozunu yutmayanlar, Konya'nın yolunu tutmayanlar ne derece doğru anlayabilirler beni. Beni anlamayanlar, bana ait olmayan sahte düşlerini benim üzerimden taşıma cüretini nasıl bulabildiler? Yediğim bıçak darbelerinden daha derin acılar verir ruhuma beni olduğum gibi görmeyen yazılar. Ben ki kuralları yıkmaya gelmiş Şems, ben ki dünya nimetlerini elinin tersi ile itmiş Şems, nasıl olur da 40 kural yaftasını yakıştırırlar bana. Neden kendi entrikalarının ortasına yerleştirirler beni?

7

Karşılıksız sevgiyi yaşamak gerekiyormuş. Birini sevmenin, delice bir aşkla bağlanmanın, güzelliğini yaşamanın hazan mevsimine gelmek olduğunu bilmiyordum. Meğer hayatta ne çok şey kaçırmışım... Ya ben erken geldim, ya sen çok geç kaldın vuslata.

Cemşid, rüyasında görüp var olduğunu bilmediği maşuku için tahtından vazgeçerek Anadolu'yu karış karış gezdi. Ben Mevlâna için bahtımdan vazgeçmişim çok mu? Hangi kelâm Kimya'nın sırrını çözmüş ki kalemleri ile Kimya'mı yazma cesareti bulmuşlar? Beceremedikleri acemilik yanılgısı aşk senaryolarında benim ismimi ve sevenlerimi kurgulamak hangi vicdanın sesidir? Aşkın kök salmış çınarından korkan, mum titrekliğinde kalemler taşıyan bu insancıklar ateşi avucunda taşıyan beni ve çınarlaşan aşkı nasıl açıklayabilirler?

Ateş (Aşk), ağaç, su sadece birer kelimedir sizin için... Bir hikâye kurup, içine yerleştirmeye çabalarsınız hemen bu kelimeleri... Onların kendi hakikatlerini hiç merak etmezsiniz... İç seslerini harflerin... Kanat çırpmalarını, kâinatın ahenkli zikrine katılışını her birinin... Ve sizi nasıl değiştirdiklerini göremezsiniz yaşarken... Siz sadece hikâyelerle ilgilenirsiniz... Hayatınızın bir hikâyesi olmadığı için kelimeleri zorla, o kurduğunuz derme çatma hikâyelerin içine sokmaya zorlarsınız... Emrivaki bir yazım şeklidir bu! Kelimelerin gönlünü almayı bilmezsiniz! Onlara verilen canı hissetmeden, siz, kim olduğunuzu nasıl hissedeceksiniz... Aşkı bilmeden bir kelimeye dokunabilir mi insan? Onu yazıya nasıl sokabilir... Bahçeyi hazırlamadan ağaç fidanını toprağa nasıl dikeceksiniz... Yazının mümbit bahçesi için toprak gereklidir...

Aşkın sizin yazı bahçenize nur yağdırmasına ihtiyaç vardır... Aşkı bilmeyen bahçe, toprak, su olabilir mi? Bir kelime olabilir mi? Aşkı bilmeden bir insan yazmaya oturabilir mi?

ŞEMS İÇİN ÖZEL MUKADDİME
(NEV-İ ŞAHSINA MÜNHASIR):

Şems ki, Mevlâna'yı Mevlâna yapandır. Şems ile karşıla-şıncaya kadar Mevlâna bir âlimdir. Konya'nın sevgilisi, olgun ve makul başmüderrisi. Aklın ve onun çocuğu olan, bilimin dairesi içinde dolaşan mantıklı bir İslâm âliminden bir cezbe adamı çıkaran Şems'tir.

Şems ansızın gelir. Yaşı kırkı bulmuş olan Mevlâna'nın belki de hiç beklemediği ve ümit etmediği anda. Ama kırk, peygamberî bir yaştır. Üstelik son fırsattır.

Çalınır... ardına kadar açılır kapı. Girer içeri sessizce yolcu. Geçiyordur... uğramıştır... kalır...

Gariptir Şems. Bu aniden gelen mağrur adam, mağrurluktan başka bir imlâyla mağrurdur. Sahte tevazuyu kibir ile eş tutar ve ondan bu yüzden nefret eder. Kabiliyet bir Allah vergisiyse onu saklamanın da sahtecilik anlamına geldiğini düşünerek mağrurdur. Dili bu yüzden bu kadar keskindir. Kaide dışı ama harikuladedir. Üstelik her kelâmında "belâ"ya bir davet vardır.

Karanlık ve siyaha ait yabancı. Durak şaşırtan yolcu. Yolcuyu yolundan eyleyen dilber.

Kimliği belirsiz; ama olsun: Şems'in saçları Tebriz'in gecesidir. Yüzü İsfahan'ın güneşi. Mihr ve mah onun kelâmından dökülür. Çünkü Şems hatırlatır. Ezelde büyük bir karşılaşma olmuştur.

Şems'tir. Şems güneş demektir. Öyle bir taşkın yaratır ki

Mevlâna'nın engin denizlere benzeyen; ama henüz rüzgâr görmemiş sakin ve emniyetli ruhunda, Ay'ın küçük denizler üzerinde yarattığı gelgitlerin onun taşkını yanında esamesi bile okunmaz. Çünkü Mevlâna bir okyanustur. Şimdiye değin denizlerin, kamerlerin ardı sıra yürüyüp durmuştur da ancak şimdi güneşin cazibesine tutulmuştur.

Gündelik hayatın dağdağasından farklı bir boyutta, suyun toprağa kavuşması gibi değil, iki suyun birbirine kavuşması gibi kavuşurlar. Şems hem canı, hem cananı olur Mevlâna'nın. Müridi ve mürşidi. Aslında bereketin taşkını bu çoğullukta. Kim âşık kim maşuk, bu kavuşmada belli değildir. Ne gam! Aşktır aralarındaki. Zamanın, mekânın ve cinsiyetin sınırlarını çoktan aşmış, bu aşkınlıkla aşkın kaynağına dayanmış, küstah nazarlarca kavranması mümkün olmayan bir aşk. Anlamayanlar da anlayışsızlıklarında mazur, nereden anlasınlar ki?...

Sonu o kadar kanlı geleceği için belki, Şems bir bıçak gibi böler Mevlâna'nın ömrünü tam orta yerinden ikiye. Öncesinde Mevlâna ne idiyse artık o değildir. Temkinliyse temkini bırakır, makul idiyse aklın sınırlarını çatlatır.

Şems sükûnet değildi. Mevlâna bu kadar fırtınayı nasıl taşıdı? Nasıl bu kadar yandı da yanmadı?

Şüphe yok ki Tebrizli'nin bariz vasfı karanlığıdır. Ama onun karanlığı, karanlık değil, sır olduğu için böyle aydınlatıcıdır. Kim olduğu, ailesi, sülâlesi, mahiyeti belli olmamakla birlikte bu harikulade karanlığa en uygun düşen isim yine de Şems'tir. Şems... Söylemiştim ki güneş demektir. Belki de bu yüzden Mevlevî ayininin rengi önce siyahtır, beyaz tennure sonra açılır.

Adı: Muhammed, babası: Ali, memleketi: Tebriz.

Sadece bu kadar. Başka hiçbir şey yok. Ne olur öyle kalsın!

Çünkü başkasına gerek yok. Bu ne kadar içli bir kelâmdır böyle. Ve, Şems'e ne kadar yakışmaktadır.

İki kubbe var İslâm âleminde; ki, ikisi de yeşil, Kubbe-i Hadra. Biri Peygamber'in, biri Mevlâna'nın. Şimdi Mevlâna, Kubbe-i Hadrası'nın altında. Babası, oğlu, çelebisi ve kâtibi, Selâhaddin'i ve Hüsameddin'i ile üzerine titreyen zarif kalabalığının arasında. Dokunmaya kıyılamayacak denli soylu bir gül; nazlıdır, nazında. Vakurdur, vakarında. Şehirlidir, inceliklidir; nezaketinde, zarafetinde. Ve daha fazlasında, zamana uzanırken. Şems, uzakta. Karanlığında. Bir köşede. Tenhalığında. Yalnız yatıyor.

Yalnızlık aşkın vekâletidir. Ölüm aşkın kefaretidir.

Her aşk bir baş götürür. Bu kez baş veren Şems olmuştur.

(Nazan Bekiroğlu/ Cümle Kapısı)

AİLEM

Her şey insanoğluna feda iken,
insanoğlu ise kendine cefa olmuştur.

Ben Ali oğlu Muhammed. Tarihin andığı üzere: Tebrizli Şems. Dedem Azeri Türküdür. Babam Melekdadoğlu Ali.

Dedem Horasanlıdır. Dedem Alamüfte yetişip büyümüş daha sonra, Hasan Sabbah'ın talebelerinden olmuştur. Horasan'da dedemin ticari bir husumeti nedeniyle ailem Tebriz'e göç ederek oraya yerleşmiş. Ben burada 1183 yılında dünyaya gelmişim. Bana Muhammed ismini vermişler.

Soyum Şia'nın İsmailiyye mezhebinden, fıkhi olarak da Caferiyye ekolünü benimsemişlerdir. Dedemin çok hırçın, sivri dilli olduğunu söylerler. Çocukluğumda çok kavgacı ve sözünü esirgemeyen bu yapımdan dolayı annem beni hiç göremediğim dedeme benzetirdi. İnsanların iki yüzlülük ve yalakalıklarına tahammül edemiyordum. Yanlış yapanı gördüğümde öfkeleniyor lâfımı esirgemiyordum. Babam bu özelliğimden dolayı:

— Deden dilinden belaları üzerimize çekti. Hiç kimse ile geçinemediğinden oralardan buralara göç etmek zorunda kaldık. Bari sen dilini tutmayı bil oğlum, derdi.

Babam iflah olmam ve eğitim almam için beni medresede Kur'an öğrenmeye yolladı. Yaşıtlarım doğru dürüst cümle kuramazken ben yedi yaşında hafızlık eğitimine başlamıştım. Medrese hocası bana sıska ve çelimsiz olduğumdan "tarla kuşu" lakabını vermişti. Oysa ben başlangıçta şahinleşecek sonra rüyalar kuşu üveyik olacaktım, onların haberleri bile yoktu. Sınıftakiler bir ayda cüzden Kur'an'a geçememişlerdi. Ben geldiğim günün ertesi Kur'an-ı Kerim'e başlamıştım. Hocam şaşırdı. "Sen normal değilsin tarla kuşu" demeye başladı. O gece babam teheccüd namazı kılmaya kalkmıştı. Ben de abdest aldım, arkasında namaza başladım. Selamdan sonra:

— Oğlum teheccüd cemaat namazı değildir, uykudan kalkınca kılınır, üstelik sen mükellef yaşta değilsin. Ama namazı kılmana sevindim, diye yanağımdan öperek odasına geçti. Rahlenin üzerindeki Kur'an'ı elime aldım, okumaya başladım. Gecenin ortasında başladığım Kur'an'ı güneşin doğuşuna yakın bitirmek üzereydim. Gözüm yoruldu, dinlenmek için uzandığımda içim geçmiş, rüyamda melekler bana okuduğum âyetleri okuyordu. Uyandım... İçim sevinç dolu uyanışımla Kur'an'ı kapattım. Okuduğum âyetleri unutmamak üzere ezberlediğimi fark ettim. Kur'an'ı tekrar elime aldığımda parmağım tevâfuken Şems Sûresi'ni açtı. Âyetleri okurken onuncu âyete gelince göğsümün balon gibi şiştiğini hissettim. Orada bayılmışım. Kendime geldiğimde parmağım hâlâ onuncu âyetin üzerinde duruyordu. "Onu arındırıp temizleyen gerçekten felâh bulmuştur. Ve onu (isyanla, günahla, bozulmalarla) örtüp saran da elbette yıkıma uğramıştır." Bu âyete çarpıldım... tutuldum.. vurgun yedim. Şems Sûresi'ne âşık oldum. Bu âyetteki arıtmayı herkes nefsi köreltme anlar. Oysa nefsi olgunlaştırma şeytanı tökezletmedir. Toprağa tohum ekildiğinde yabancı her şeyden arıtıldığı gibi nefis de ilâhi ümitlerle arınır ve Allah'ın lütuf ve inayetine bırakır kendini.

Sabahleyin aileme:

— Bugünden sonra bana Şems diye seslenin. Kur'an'daki Şems Sûresi'ne âşık oldu evladınız. O günden sonra ismim Şems olarak anıldı. Doğum yerimden dolayı Tebrizli Şems olarak tanındım. Dîni ilimler hocam Rukneddin Secasi, derslerden sıkılıp pencereden bahçeye kaçtığım için, uçan mânasında Pârende demeye başladı. Haklıydı da. Ömrüm boyunca hiçbir yere bağlanmaksızın oradan oraya uçan bir Şems-i Pârende olacağımı sezmiş olmalıydı.

Benim yetişmemde emeği geçen hocalarım: Ebu Bekir Selfebaf, Şeyh Kirmâni ve Rukneddin Secasi'dir. Ancak hocalardan faydalanmam ders tarzından ziyade, sohbet ortamında soru-cevap şeklindedir. Genelde de münazara şeklinde geçiyordu ilim meclisimiz. Ruhumu tam mânası ile doyuran tek hocam Mevlâna'dır. Hoca dediğin hem öğrencin olmalı hem öğretmenin. Dostun olmalı, sırdaşın olmalı. Hoca dediğin gönüldaşın olmalı. "Ben söyleyeyim sen dinle" dememeli. Söylemeden anlamalı. Hoca dediğin hâldaş olmalı. Vaaz verir gibi konuşmamalı. Gönlüne ipotek koymamalı. Bazen hamur etmeli mânayı. Bir kelime söylemeli ki ciltlerce kitaplardaki mânayı akıtmalı. Damlada deryayı sunmalı hoca dediğin. Arayan olmalı, aranılan olmalı. Hoca dediğin adayan olmalı kendini. Ezber bozan olmalı.Ketumluğa boğmamalı.

ÇOCUKLUĞUM

Sen teninle hayvan, ruhunla meleksin.
Bunun için hem toprağa hem feleğe gidersin.

Çocukluk çağlarında bana garip bir hal gelmişti. Gece hiç uyumuyor sabahtan akşama kadar ağzıma bir lokma koymuyordum. Üstelik ne uykusuzluk çekiyordum ne de açlık. Sanki gizli bir el beni güçlü bir hâlde ayakta tutuyordu. Annem sıcak tandır ekmeği, yağlama, haşlanmış et ve tatlı getiriyordu, ağzıma bir lokma aldığımda gerisin geriye çıkarıyordum. Günlerce açlık hissetmeden yemek yemediğim, su içmediğim oluyordu. Yaşıtlarım oyun oynarken ben bir ağacın altında güneş doğduktan batana kadar oturuyordum. Babamın dediğine göre görülmeyen varlıklarla sayıklama halinde konuşuyormuşum. Benim bile anlamakta zorlandığım bu halimi kimseler de anlayamadı. Babam bile ne olduğunu bilmiyordu. Bana diyordu ki:

— Sen deli değilsin, bilmem ki bu gidişin sebebi ne? Sende bu yola gitmek için gerekli olan ne terbiye ne riyazet var. Ne de başka bir şey. Annen ve teyzen senin bu haline üzülüyorlar, sana cinlerin musallat olduğunu düşünüyorlar. Benden seni okutmam için hocaya, türbeye götürmemi istediler. Oğlum ne mecnun ne meczup, oturun oturduğunuz yerde diye susturdum. Muhammed'im nedir bu ahvalin? Babama dedim ki:

— Beni benden dinle... Sen ve ben öyle bir hâldeyiz ki sanki bir kaz yumurtasını tavuğun altına koymuşlar. Bu yumurtadan kaz yavrusu çıkmış. Biraz palazlaşınca bir su kenarına gelir, yavru hemen suya atlar. Ana tavuk etrafında çırpınır. Ama o kümes kuşudur. Onun suya girmesine imkân yoktur. İşte seninle ben de böyleyiz. Ey babacığım! Ben kendimi yüzdürecek bir deniz görüyorum. Benim yurdum o denizdir. Halim de deniz kuşunun hali gibidir. Eğer sen benden isen gel. Lâkin ben bu derya içinde senden değilim. Git kümes kuşlarına karış. Yaşımdan beklenmeyecek derinlikteki bu sözlerim babamı tedirgin etmiş olacak ki babam:

— Dosta böyle yaparsan düşmana ne yaparsın dedi.

Yemek lâfı edilse bile yüzümü çevirirdim. Bazen de bana verilen yiyeceği kibarlık olsun diye cebimde saklar sokakta oynayanlara verirdim. Bendeki bu nazlanma babamdan dolayıydı. Meselâ bir gün kedi sütü döktü ve tası kırdı. Babam yanımda kediye bir şey demedi ve bana kızmadı. Sadece gülerek dedi ki; yine ne yaptın hayırdır. Böyle yapmasaydın, ya bana ya annene ya da sana bir şeyler olurdu. Allah acıdı da bu kadar ile atlattık.

Çocukluğumda benim iştahımı kaçıran işte bu söz olmuştur. Aradan 3-4 gün geçtiği hâlde hiçbir şey yemiyordum. Sade halk sözünden değil, hak sözünden bile korkuyordum. Sebep yokken yemekten içmekten kesilmiştim. Babam, "Oğlum ye!" dedikçe ben "Bir şey yiyemiyorum", diyordum. Artık zayıflıyordum. Kuvvetim o dereceye varmıştı ki istesem pencereden kuş gibi dışarı uçardım. Bunda keramet var; ama sana açıklamak istemiyor, dediler.

Sırlardan bahseden bir meczup vardı. Onu sınamak için eve kapatırlardı. Fakat o yine de dışarı çıkardı. Bir gün babam bana darılmıştı. Tam bu sırada o meczup geldi. Ve yumruklarını havaya kaldırarak babama ikazda bulundu ve beni işaret ederek şöyle dedi: Yoksa bu çocukla mı uğraşıyorsun? Seni kaldırıp şu akan suya atarım. Tur Gölü'ne doğru akan bu nehir, bir fili götürecek güçteydi. Sonra meczup bana dönerek hoşçakal dedi ve bana saygı ile eğilip selam verdikten sonra oradan uzaklaşıp gitti.

Ben babama nafile olan ibadetlerimi göstermezdim. Batıni halimi ve dünyamı nasıl gösterebilirdim ki? Babam iyi huylu ve asalet sahibi idi. İki söz söylerdi, sakalına kadar gözyaşları akardı. Fakat âşık değildi. İyi huylu olmak başka âşık olmak başkadır.

Tebriz'de kimsenin bensiz ölmesine izin vermezdim. Birinin ölüm döşeğinde olduğunu duysam hemen yanına giderdim. Birkaç saatliğine ortalıktan kaybolsam bizimkiler anlardı: "Ölen biri varsa oraya bakın, orada olmalı", derlerdi. Bu yolculuğu izlerdim. Ölmeden önce ölmek için ölümü canlı seyretmek lâzım. O nedenle kimi geceler mahallemizdeki caminin gasilhanesindeki tabutun kapağını açar, içine yatar ve sabaha kadar ölümün kokusunu çekerdim içime. Hiçbir zaman yün, pamuk türünden yataklarda uyumadım. Ya sert bir tahta üzerinde, ya bir kaya başında yahut bir ağacın altında, bir tabutun içinde sabahlardım. Han veya kervansaraylara gittiğimde de odadaki acem halılarını, dokuma kilimleri toplar, dürer, bir kenara dayar, hasır üzerinde uyurdum. Uykum en fazla günde 4 saati geçmezdi. Bunu da birer saatlik fasılalarla uyurdum. Ömrümde teheccüd namazını kılmadığım gece yoktur.

19

GENÇLİĞİM

Gençliğin dört umdesi vardır. Vatan kokusu, kitap kokusu, oğul kokusu ve yârin kokusu. Benimse gençliğim vatansız, evlatsız ve yârsız.
Tek umdem, yegâne uhdem,
İçimdeki aşk ateşini avucuna teslim edeceğim şeyh.

Daha ergenlik çağına gelmemiştim. Babam beni bir hocaya teslim etti. Hocanın kulağına bir şeyler fısıldadığını gördüm. İçimden gülmeye başladım. Beni burada tutacak ne var ki ya ben kaçarım ya onların akılları uçar diye. Medresede ezberci papağanlar gibi gözleri hocanın iki dudağında olan talebeler öfkemi kabartıyordu. Hoca ne sorarsa sorsun dilsizmişim gibi sus pustum.

Hoca bir gün elinde bir elma tutarak bir talebeye dedi ki: "Allah'ı gördüm ve O'ndan elma istedim, bana verdi. Beyazid (Bestami) Allah'ı Allah'tan istedi ve bir başkasında bile başkasını istedi. Sen kimi isterdin?" Talebe dedi ki, "Ben de Allah'ı Allah'tan isterdim. Beyazid'e hürmeten." Bana da aynı soruyu sordu. Onun başını işaret ederek dedim: "Ben seni isterdim." Hoca başını eğdi ve salladı fakat hiçbir şey demedi. Ben de bundan sonra hiçbir şey söylemedim ama içimde kelimeler, ifadeler ve anlamlar kaynamaya başladı. Her çocukta görülmeyen acayip haller geldi bana. Hoca daha sonra babamı sıkı sıkı tembihleyerek tahsilimin meyve vermesi için Şam'a medreseye gönderilmemi ondan istemiş.

Babam, hocamın isteğine uyarak beni Şam'a uğurlarken şöyle dua etti:

— Allah sana günlük bir arkadaş versin ki evvellerin, ahirlerin bilginlerini, hakikatlerini senin adına izhar etsin. Hikmet ırmakları onun kalbinden diline aksın, harf ve ses kıyafetine girsin. O kıyafetin rütbesi de senin adına olsun.

Yaşadığım devre göre sıra dışı özelliklerim sözlerimle karşımdakini şok edici kişilik yapım, zamanın geçerli tabularına ve geleneklerine başkaldırışım çevremdeki insanların kimi zaman tepkisine kimi zaman da ilgisine sebep olmuştur. İnsanlar benim yorumlarımı ve sert sözlerimi işittiklerinde beni tuhaf davranışlı tahammül edilmez bir kişi olarak tanımlar. Onların tanımları umurumda bile değildi.

Şam'da bir kervansarayda idim. Öteki sordu:

— Tekkeye gelmiyor musun?

— Ben kendimi tekkeye layık görmüyorum, dedim.

— Peki, medreseye gelmez misin, dediler.

— Ben tartışmaya gireceklerden de değilim. Söz arasında anlayabilsem de bahse ve tartışmaya girişmek bana yaraşmaz. Çünkü kendi dilimle konuşursam bana gülerler. Kâfirdir derler. Beni küfürle damgalarlar. Ben garibim. Garibin yeri de kervansaraylardır.

Benim bir âdetim vardır. Yanıma gelenlere sorarım: Efendi! Konuşacak mısın yoksa dinleyecek misin? Konuşacağım derse üç gün üç gece arka arkaya dinleyebilirim. Sonunda o kaçsın da ben kurtulayım. Eğer; ben dinleyeceğim, derse ben de o hâlde birbirimizle uyuşuruz derim. Ben söze başlarım, o da lâf arasında konuşur:

Bu nicelik ve nitelik dünyasının ucunda
Dertli sesiyle konuşan bir adam durmakta!
Gözü kartallarınkinden bile daha keskin
Yüzü şahididir gönül ateşinin
İç ateşinin yakıcılığı artıyor her zaman
Arzuyla dolu bir ruhtan, yanan bir avuç topraktı
Aşk ve sarhoşluktan nasipsiz bilginler
Tedavi için nabzını doktor eline verdiler.

Şam'da bir sohbet meclisine girdim. Şeyhin biri müritlerine fenafillâh mertebesini anlatıyordu. Hışımla üzerine yürüyerek:

— Sen Allah'ı nelerde görüyorsun?

— Güzellerin yüzü ayna gibidir. Ben Allah'ı o aynada görüyorum.

— Eee başka?

— Su ve toprakta görüyorum.

— Hadi git oradan ey ahmak. Mademki Allah'ı su ve toprak aynasında, beni de bir başkasının aynasında görüyorsan, niçin can ve gönül aynasına bakıp da kendini aramıyorsun? dediğimde müritler halimi ve sözlerimi meczup birisinin hakareti olduğu düşüncesi ile üzerime çullanacaklardı, tam o esnada minderdeki şeyh koşarak geldi ve ayaklarıma kapanarak:

— Allah senden razı olsun, diye öpmeye başladı. Dergâhında kalmam için ne kadar yalvardıysa da aldırış etmeden oradan uzaklaştım.

Şam'ın en meşhur tasavvuf üstadı olarak tanınan Rukneddin Secasi'ye talebe oldum; ama içimin kasırgasını dindireceğinden umudum yoktu. Şadırvanda yakaladım kendisini:

— Hocam aşk nedir?

"Bardağa dolan ilk şarabı, sakinin sarhoş bakışlarından ödünç aldılar. Dünyanın neresinde bir gönül derdi varsa onları bir araya topladılar, adına aşk dediler..."

— Peki, aşkın acı pınarını kim bal eyler?

— Evlat o bal ummanını buralarda arama, Konya'da bulacaksın.

— Kimde?

— Aşkın pirinde. Öyle pir ki pişireni sen olacaksın.

— Nasıl tanırım onu, izi, işareti ne?

— O seni bulur. Şam'a bir kafile gelecek. Onu karşıla. Her kafileye sor, soruştur. Aşkı kitaplarda, halveti yollarda arayandır senin aşığın. Kim kimi aradı, kim kimi buldu, bunu aşka adanış belirleyecek.

Genç yaşta diyar diyar, şehir şehir, ülke ülke dolanıp durdu. Afganistan, Pakistan, Azerbaycan, Hindistan, Çin dolaştım durdum. Hiçbir ülke bana cazip gelmiyordu. Göçebe bir kuş gibi İran, Irak, Suriye derken kutsal topraklara geldim. Nur-u Muhammed kokan Mekke ve Medine. Kâbe'yi tavaf ederken: "Rabbim senin aşkını alevlendirecek mürşit ile şereflenmeyi bana nasip eyle" diye dualar okudum. Münevver beldede, muazzez rehber Peygamberimizin kabrini ziyaret esnasında, içimde değişik haller oluştu. Oraya yığılmışım.

Rüyamda bana aradığımın Rum diyarında olduğunu bildirdiler. Uyandım. Hac görevimi ifa ettikten sonra Şam'a döndüm. Şam'da beni tutan gizemli bir tılsım vardı. Sanki aradığımın, sanki beni arayanın Arafat'ı Şam sokakları olacakmış gibi. Arafat buluşma yeri demekti. Cennetten ayrı ayrı gönderilen Âdem ve Havva birbirlerini aylarca aramış, sonuçta Arafat tepesinde buluşmuşlardı. Arafat vuslattı. "Benim Arafat'ım ne zaman Ya Rabbi!"

Mevlâna ile karşılaşmadan önce memleket memleket dolaşmamdaki amacım, şeyh arayışıdır. Karşılaştığım şeyhlere aşka adayış soruları sorardım ve hiçbirinde aradığımı bulamadığım için adayışımı esirgedim.

Aşk arayışı beni Konya'ya götürecekti. Arayan mıydım aranılan mıydım? Ne ben anladım ne o... Dönüp duruyorum ey aşk. Durup dolaşıyorum. Arıyorum. Arıyorum. İçimdeki uzağı arıyorum ey aşk! Uzaktaki yakını, yakınımdaki aşkı. İçimdeki içimi arıyorum ey aşk. İçimde aradığım yakın sensin. Aradığım sen. Sendeki beni, bendeki seni arıyorum. Ne bende, ne sende, hem sende, hem bende olanı arıyorum; bir teslimiyet, bir huzur, bir kabul ediş, bir kurban oluş, bir yok oluş... Evet, arıyorum ey aşk! Aşkta yanış, aşkta dönüş, aşkta duyuş, aşkta hissediş, aşkta sönüş...

Arıyorum... İçimdeki yakınlığı
Yakınlıktaki içimi, içimdeki seni.
Dönüp dolaşıyorum ey aşk.
Dolaşıp duruyorum.

İçimde bir yangın var ey aşk, gönlümde ateş. Gözümde yaş, gönlüm yangın, gözüm nehir. Arıyorum ey aşk, içimdeki yangında, ateşte yanmayan İbrahim'i arıyorum. Ararken göz çağlayanının eteklerinde ıslanıyorum. Ne o yangın, ne de o gözyaşı temizliyor gönül evimi. "Saçma ey göz, gönlümdeki odlara su!"

Bir bilsen ey aşk, ah bir bilsen, evimin içinde ne denli putlar var. "Padişah konmaz saraya, hane mamur olmadan", diyorsun İbrahim; duyuyorum. Lâkin ey aşk, hangi kurban bizi paklar? Hangi koç? Şu var ki ey aşk! Bir arınma, bir temizlenme, bir saflaşmadır aradığım. Biliyorsun, bana bir aşk gerek.

Ne yangınlar var hanemde ey aşk. Bana ateşle dost olan bir İbrahim gerek. Arıyorum ey aşk. Yakınlaştıracak bir yol, yaklaşacak, yakına daha yakına ulaştıracak bir *"burak"*, belki bir çıkış, belki bir yükseliş, belki bir umut, belki bir söyleyiş, belki bir iksir arıyorum.

Dönüp dolaşıyorum ey aşk. Dolaşıp duruyorum.

Koşup duruyorum ey aşk, koşup duruyorum. Bir serseriyim, belki bir harabi; lâkin yine de arıyorum. Arıyorum ey aşk, Nuh'un selamete ulaştıran gemisini Kafdağı'nda arıyorum. İnançla ve gayretle bütün dağları, ateşten denizleri geçtim, bir sahil-i selamete ermek için Nuh'u arıyorum. Ellerimi salıverdim, orada burada dolaşıyorum, sanki bir serseriyim. Fakat yüreğim içime açık, içimdeki semaya. Anka'yla hemdemim, halleşiyorum, dertleşiyorum, Süleymanca kurtla kuşla konuşuyorum.

Bir dost arıyorum ey aşk, bir dost. Kurbanla yakınlaşan dost... Kurbanla yakınlaştıran dost!

Dost bir nefestir, dirilten ölü ruhları. Dost Halil'dir, dost İsa'dır, dost kâinatın övüncü, âlemin rahmeti ve bereketi Hakk'ın Habibi'dir.

Dost arıyorum ey aşk, dost.

İnsan-ı kâmil, mükemmel bir mürşit arıyorum. Benim, kusursuz Muhammedî yolda yaşayan bir sahabe gibi lekesiz tertemiz bir şeyhe ihtiyacım var. Bu yüzden şeyh diye, mürşit diye karşıma çıkan kişilerde kusur görüyorum. Dün anasının karnından çıkmış olan bugün "Ben Hakk'ın diliyim" diyordu. Filan kadından olma bir kişi nasıl olur da "Ben Hakk'ın sözüyüm" diyebilir? Bu şeyhlerin çoğu Muhammed dininin eşkıyalarıdır, yol kesicileridir. Arayışımdaki açlığı sizlere ifade ederken ister istemez hakkımda "Şems ne kadar kibirli, ne çok katı" diye düşünebilirsiniz. Aradığımı bulduğumda beni çok iyi anlayacaksınız.

Menfaat ve gösteriş peşinde koşan şeyhlerden daima uzak durdum. Ömrüm boyunca Mevlâna'yı görüp tanışıncaya kadar herhangi bir şeyhe bağlı kalamamıştım. Bu şeyhlerin içerisine Muhyiddin Arabî de dâhildir. Mevlâna'yı tanıdıktan sonra anladım ki; Mevlâna bir incidir, Muhyiddin Arabî ise onun yanında çakıl taşı bile olamazdı.

Aşkı güzel bir kızın gözlerinden alarak maddi ve beşeri bir aşk macerasından sonra tasavvufi aşka yönelerek ilahi aşka erişmek Mevlâna'da da, bende de olmamıştır. İlahi aşk arayışım efsane ve masallardaki gibi beşeri bir aşk sürecinden sonra oluşmamıştır.

Her insan için bir âşık olma zamanı vardır,
bir de ölmek zamanı.
Ama benim için ölmek yok, ben meleklerin secde eylediği aşkım.

Kendimi, kişilik olarak; "düşündüğünü korkmadan söylemekte" Haccac-ı Yusuf'a, "haksızlığa tahammülsüzlükte" Ebuzer Gıfari'ye, "adaleti temin etmekte" Hz. Ömer'e benzetirdim. Benim için adalet dolu dünya, merhamet dolu dünyadan daha büyüktür.

İnsanlarla teke tek sohbetlerde kısık sesle, yavaş konuşurdum, kalabalık karşısında Haccaclaşmayı seçerdim. Haccac'ın meşhur Kûfe hitabına hep hayran kalmışımdır.

Sesinin tonundan herkesin titrediği, ömrünce bir kez yüzünün güldüğünün görülmediği çatık kaşlı, heybetli yürüyüşlü, halkın karşısında dilini yuttuğu Yusuf Haccac gönüllü olarak Kûfe'nin valiliğine talip olur. Halife pek onu atamak istemez; ama Kûfe'ye de vali dayanmıyordur. Giden her vali bir aya kalmadan kaçmaktadır. Kûfe kazan, Kûfe fitne, Kûfe kalleştir çünkü. Kûfe Hz. Ali'ye kalleşlik yapmıştır. Hz. Hüseyin'i yarı yolda bırakıp Yezid'e satmışlardır. Misafirleri Müslim'i kendi elleri ile zalimlere teslim etmişlerdir. Kûfe Ehl-i Beyt'e sürekli ihanet etmiştir. Kûfe şımarmıştır. Kûfe yumuşak sözlerden, maslahat-ı güzardan anlamayacak kadar kapris doludur.

Yusuf Haccac bütün bunları bilmesine rağmen herkesin korktuğu Kûfe'ye yalnız başına girer. Üzerinde yırtık elbiseler, dilenci kılığında yüzünü pelerinle örterek bir sabah namazı kapılara pencerelere taş atarak halkı uyandıra uyandıra camiye doğru yoluna devam eder. Halk bu meczuba haddini bildirmek için camide toplanır, neredeyse bütün şehrin erkekleri camide toplanmıştır. Merakla beklerler bu meçhul yabancının niyetini. Vaaz kürsüsünde heybetlice oturan bu deli de kimdir? Niçin kapımızı, penceremizi taşlayarak bizi tatlı uykumuzdan etti, diye düşünmektedirler. Esrarengiz adam yüzünü açtığında irkilirler. Yusuf Haccac'dır. Tarih onu Zalim Haccac diye anarak nankörlük edecektir. Bana göre zalim değil, âlim bir adamdır. Dedim ya,önce adalet.Kuru slogan işi merhametin kime ne yararı olur?

Haccac'ın Kûfe camisinde yapmış olduğu konuşmasını gençlik döneminde duyduğumda, takdir etmiştim. İşte o meşhur konuşma:

"Ben meşhur bir adamım. Kazandığım zaferler, yaptığım işler benim şöhretimi her gün biraz daha arttırıyor. Sarığımı çıkarayım da kim olduğumu görün. Şimdi beni iyice gördünüz mü? Beni tanıdınız mı? Ha! Bakıyorum, bazılarınız beni iyice görebilmek için gözlerini kırpıştırıyor, boyunlarını uzatıyor. Bu uzanan boyunlar üzerindeki kelleler ne güzel kılıçtan geçer. Ben kelle uçurmakta gayet ustayımdır. Daha şimdiden şu sarıklarla şu sakallar arasında kesilen boyunlardan akan kanların akışını görür gibiyim.

Müminlerin emiri, kuburunu boşalttı, oklarının arasından en zalim, en keskin, çelikten ve en sert ağaçtan yapılmış olan oku bulup seçti. O ok da benim. Ey Iraklılar! Ey isyan ve ihanetten başka bir şey bilmeyen âsiler! Kötü kalpliler. Ben öyle hamur gibi yoğrulabilen cinsten yumuşak kalpli bir insan değilim. Sizi kırbaç düşmanları, sizi köle karı yavruları sizi! Ben Haccac b.

Yusuf'um. Benim tehditle vakit geçirmeyip çok çabuk dediğini yapan bir adam olduğumu göreceksiniz. Ben fazla vakit kaybetmekten, konuşmaktan hoşlanmam. Bundan böyle hiçbir yerde bir kalabalık toplandığını görmeyeceğim. Toplantı, içtima hepinize yasaktır! Kendi aranızda gizli gizli konuşma istemem. Bundan böyle kimse kimseye 'Neler oluyor? Yeni ne haberler var?' diye sormayacak. Ne oluyorsa oluyor, size ne, fitne çocukları! Herkes bundan böyle yalnız kendi işiyle uğraşacak. Kimse başkalarının işlerine karışmayacak. Elime düşecek adamın vay haline! Dosdoğru yürüyecek, ne sağa, ne sola döneceksiniz. Başınıza getirdiğim adamları takip edip halifeye biat edecek, ona sadakat ve itaat yemini ettikten sonra yola çıkacaksınız."

Nakliyeciliğe, siyasete fena sinir olurum. Gençliğimde Sabbahiler, Melamiler, saray uşakları hepsi de beni siyasetlerine çekmek için gayret ettiler; ancak beyhude yoruldular. Siyasetlerine alet olmadığımdan bana kin duyan Sabbahiler, ardımdan suikastçı göndermekle tehdit ettiklerinde, güldüm geçtim. "Bu Şems ölmeden önce ölmüştür zaten" dedim. Moğolların siyasetinden işgallerinden de iğrendim. Siyaset şeytanın suyudur. Temizlenmek için elinizi suya dokunsanız; bütün bedeniniz, ruhunuz şeytana satılmış demektir.

Yazmayı ve yazdırmayı sevmezdim. İrticalen konuşur aklımdan geçeni söylemekten sakınmazdım. Beklenmedik anda sesimi yükseltir dinleyenleri şoke ederdim. Mevlâna bir gün hitap tarzımdan ve insanlara tavrımdan hayrete düşmüş ve şöyle sormuştu:

"Ey pârendem! Bana, âşıklara karşı çok nazik, asudesin; ama diğerlerine karşı olabildiğince hırçın ve ürkütücüsün. Niçin?"

— Ben samimi olarak niyazda bulunanlara karşı çok mütevazı davranır, alçak gönüllülük gösteririm; ama diğerlerine karşı, çok kibirli ve sivriyimdir. İster bey olsun ister paşa, dilim kılıçtır, kınına sokmam.

"Benim sohbetime yol bulan kimsenin alâmeti şudur ki: Başkalarının sohbeti ona soğuk ve tatsız gelir" diyecek kadar da kendime inanır ve güvenirim. Muhatabımın benimsediği tavra göre anında tavır geliştirmem, doğrum neyse söylerim. Karşımdaki incinecekmiş, gücenecekmiş hiç umurumda değil. Kendine sadık olmayan, kime sadakat gösterebilir?

Ben samimi olarak niyazda bulunanlara karşı çok mütevazı davranır, alçakgönüllülük gösteririm; ama diğerlerine karşı, çok kibirli ve gururlu davranırım. Mevlâna'ya ilk nasihatim, derin iç anlayışın açığa çıkması için dışarıya karşı sağır olmasını istemek olmuştur.

Görünen dünyanın cazibesine kendimi kaptırmadım. Elâlem ne der, ne düşünür diye korkanın yerinde durması mümkün mü? Şekilcilikten nefret ederim. Dış görünüşe bağlı kalanların düşüncelerine ve inançlarına muhalif tavır sergilemek benim soylu karakterimdir. Böylece onların beklenti ve umutlarını boşa çıkartır, hayallerini toz duman ederim. Müslüman coğrafyanın önemli merkezlerinin hepsini müşahede ettim. Bu beldelerdeki gönül erenlerinden birçoğunun sohbetine dâhil oldum. Mevlâna gibi beni mest eden karşıma çıkmadı, çıkamadı.

"Benim bir âdetim vardı. Yanıma gelenlere sorarım:

'Efendi! Konuşacak mısın, yoksa dinleyecek misin?' 'Konuşacağım' derse, üç gün üç gece arka arkaya dinleyebilirim. Eğer ki o kaçsın da ben kurtulayım. Eğer, 'Ben dinleyeceğim' derse, ben de 'O hâlde birbirimizle uyuşuruz' derim. Ben söze başlarım, o da lâf arasında konuşur."

Allah'ın bana bahşettiği ilham ile muhatabımın vereceği tepkiyi önceden sezebilme ve onun kişilik ve karakterini çözebilme zenginliğine sahibim. Şöhreti afet olarak kabul ettiğimden dolayı bazen bir tüccar edası ve kıyafetiyle kendimi perdelerim. El etek öptürmekten iğrenirim. "Konuşma ve Allah'a yakın olmada Musa'nın, sıyrılıp bir köşeye çekilmede ise İsa'nın (a.s) meşrebine sahiptim. Daima müşahedeye girer ve zamanımı uzlet ile geçirmeyi severim. Şaşkın insanlar benden keramet beklerlerdi, bunu sezerdim oysa ben, kendini öne çıkarmak amacı ile şöhret uğruna kerametleri inkâr edenim. Aşk için keramete amenna; ama milleti memnun edeyim diye keramet göstermeye çalışıp halkı oyalamak şaklabanlıktır.

Kimi zaman nefsinizi sarsar ruhum. Kimi zaman bir aynayım, size bütün eksiklerinizi, kusurlarınızı, çirkinliklerinizi haykıran. Bazı nakilcilerin beni basit bir batıni dervişi olarak görmeleri beni hafife almak anlamına gelir. Beni küçümseyenlere sormak isterim: Benim eserim Mevlâna'm ortada. Ya sizinkiler nerede?

"Bir kâğıt düşün ki bir yüzü sana, öteki yüzü de sevgiliye dönüktür. Yahut her yüzü bir başkasına çevrilmiştir. Kâğıdın sana dönük olan yüzünü okuyabilirsin ama asıl dosta ve sevgili tarafına dönük olan yüzünü okumak gerekir."

Kitapları terk edeli seneler oldu. Çocukluğumda ciltler dolusu kitap okudum. Okuduğum hafızama yerleşirdi. Allah bana lütfedip bu yeteneği vermişti. Başkasının bir ayda öğrendiğini ben bir gecede öğreniyordum. Tefsir, hadis, fıkıh, dinler tarihi, İslam tarihi, akaid ve tasavvufa dair ne varsa keşfettim. Kelamı sevmezdim; kömürcünün imanını kelâmcının imanına yeğlerdim. İran ve Hint edebiyatı ile Arap belâgatini gençliğimde bitirmiştim. Hocalar kendi el yazması kitaplarında ne yazdıklarından habersizken ben onlara onların sözünü hatırlatırdım. Yürüyen kütüphane gibiydim. Anladım ki aradığım kitaplarda yoktu. Bunu Mevlâna'ya da hatırlattım:

— Aşk kitapta olsa ne olurdu. Aşkı kitaplardan öğrenemezsin, satırlara sığmayacak kadar bal kahrıdır o, gel anlatayım sana aşkı. Önce yak kitapları. Aşkı âşıklarda arama. Aşk, aşığın aynası değildir, bu nedenle körler çarşısında ayna satılmaz. Aşk kelime değil ki deftere kaydedesin, aşk paragrafları talan eder. Aşkın kitaba sığınmayışı bundandır. Kitap yorum işidir, aşk yorumlarda yormaz yolunu. Aşkın kendisi başlı başına ucu bucağı gözükmeyen yoldur. Yola girenin geri dönüş hakkı yoktur. Yolun çukurundan, çamurundan şikâyet etme. Aşk çamuru nurlaştırandır. Unutma! Sen ruh denen nurun ile çamur denen bedenle buluşmasından doğdun...

Yahudilerle bile dua etme huyuna sahibim ve "Allah onları hidayete erdirsin" derim. Bana küfredenlere bile dua ederim ve derim ki, "Allah onlara küfür etmekten daha değerli işler versin!" Böylece onlar Allah'ı ansınlar ve mâna âlemine yönelsinler.

Kendime dedim ki, "Beni bu şekilde yaratan Allah ile doğrudan doğruya konuşmadıkça ve sorduğum sorulara cevap almadıkça benim yemek veya uyku ile ne işim var? Bu âlemde körü körüne yemek yiyip içmek için mi geldim? O'na neden geldiğimi ve nereye gideceğimi sormalıyım; ancak ondan sonra yemek yiyip uyuyabilirim. Ayrıca kurtuluşum ve sonum hakkında da bilgi almalıyım ki burada rahat ve dertsiz bir hayat sürebilmeliyim. Çocukluğumdan beri amacım bu idi ve hep buna yöneldim. Hani bir annenin güzel ve tatlı çocuğu elini yaktığı zaman annesi hemen harekete geçer, türlü çareler arar ya, Allah da kokusuyla (sevgisiyle) bana öyle yardım etti.

Ben küfür eden kişiyi beğenirim; fakat beni öveni pek tutmam. Zira övgüden dönülürse daha kötü olur. Münafık, kâfirden daha kötüdür, Kur'an'da dendiği gibi:

"İkiyüzlü insan cehennemin en alt katındadır."

Ben nefsimi öyle terbiye ettim ki, önüme sayısız helva çeşitleri ile kebaplar koysalar ve ben gerçekten acıkmış olsam bile, başkalarının can attığı o nimetlere dönüp bakmam. Vaktinde ona (nefsime) vereceğim arpa ekmeği, vakitsiz vereceğim kebaplardan daha üstündür.

Bilindiği üzere, cansız bir varlık bile yedi aydan fazla bana dayanamaz. Beni medresede dinleyenler deliye döner; ama neden akıllıları deli edeyim ki? O zaman onlarla sohbet edemem. Ne var ki, ben sofi olmam veya olamam. Bu dergâh temiz insanların yeridir. Burada yemek pişirme ve alışverişe gitme derdi yok. Cansız nesnelerle bile ayrılma ve birleşme duygusu vardır (atomlar gibi). Kur'an'da şu âyet buna işarettir, "Hiçbir şey yoktur ki hamd ile O'nu tespih etmesin... Fakat siz bunu anlayamazsınız. Şüphesiz O acıyan ve affedendir."

ARAYIŞIM

Ah uğruna canımı adadığım ey Aşkım!
Nerelerdesin?

Gençliğim sürekli beni bende yakacak bir şeyh arayışı ile geçti. Birçok şeyhi denedim, onların bırakın beni yakmasını, kendilerine bile kıvılcım olamayacaklarını gördüm. Şöhretin, malın, mülkün kâr değil, zarar getireceğini dünyaya bağlayıp kalacağını biliyordum. Halk, devamlı harpler, yağmalar yüzünden dünyasından bezmişti. Bu dünyada bulamadığı huzuru hiç olmazsa öte âlemde aramak için maneviyat yurduna yöneldi. Benim de aynı şekilde tasavvufa iştahım artmıştı. Uğradığım dergâhlarda ben böyleyim, ben şöyleyim diyenlerden nefret ediyordum. Memleket memleket dolaşıyor, gerçek bir şeyh, bir mürşit arama yolunda, yıllardan beri koşuyordum.

İçimdeki boşluğu dolduracak, sorularıma tatminkâr cevap verecek, beni benden edecek, kendimi kendisine adayacağım şeyh arayışı senelerce sürdü. Hiç bir dergâh benim içimi ferahlatamadı. Bu böyle sürüp giderken derinleşen iç boşluğuma rağmen umudumu kaybetmedim. Böylece yaşım altmışa ulaşmış, siyah sakalımı beyaz teller bezemişti. Sırtımda keçeden bir cübbe, elimde bir âlem (asa), başımda da kalpağa benzer bir külah vardı. Bazı yerlerde işçilik yapar, sırtımda yük çeker, birkaç kuruş alır, ihtiyacımı temin ederdim. Kimseden bir şey talep etmez, kimseye muhtaç olmazdım. Çoğu zaman aç kalır, nefsimle alay ederdim. Nefsime neler yapmadım neler. Bazen bir ağaç dalında sabahlardım, bazen bir kaya üzerine uzanır uyurdum. Çoğunlukla da gittiğim yerlerin gasilhanesinde tabutun içine girer sabah ezanları ile camiye geçerdim.

Aradığın Konya'dadır mesajını düşünürken birden aklımda geçmişteki iki anım canlandı. Bunlardan birincisi Belh'den büyük bir kalabalıkla göç eden ve Hac için Şam'dan geçen kafileyi sokakta görmüş ve bu olağanüstü kafile dikkatimi çekmişti. O zamanlarda Mevlâna beş yaşında bir çocuk bense bir delikanlıydım. Babası Bahaeddin'i Şam camisinde cuma hutbesini okurken dinlemiştim. İlmi hitabeti hoşuma gitmişti. Demek ki Mevlâna'ya aşinalığım babasından dolayı da kıvılcımlaşmıştı.

Diğer hatırladığım olay da; aradan yıllar geçip de yaşım altmışa dayandığında Şam'da çarşıda yürürken beraberindekilerle yürüyen kırk yaşlarındaki bir adam dikkatimi çekmiş, gözümü ona bakmaktan alamamış ve yanına gidip elimi omzuna koyarak:

— Ey dünya sarrafı; beni bul, deyip oradan uzaklaşmıştım. Demek Konyalı olduğunu öğrendiğim, yıllarca aradığımı kendisinde taşıyan o adam bu, adamdı.

Kararımı verdim. Konya'ya gidip bu meşhur adamı bulmalıydım. Elime asamı alıp yola düştüm.

Her gittiğim yerde insanlar Mevlâna'dan bahsediyorlardı. Babasının ne kadar ulu bir insan olduğunu, Konya'daki gayrimüslimlerin dahi ona hayran olduklarını ballandıra ballandıra anlatıyorlardı. İçimdeki söz "Git bal mı zehir mi dene gör" diyordu. Kıldığım namazlardan sonra, gecenin bitiminde birkaç saatliğine uyumak için yatarken daima şu duayı okuyordum:

— Allah'ım, beni dostlarımla buluştur, görüştür. Halep'te bir buğday harmanının üzerinde yatarken aynı niyazda bulunmuştum, bu hal ile uyuyakalmışım. Rüyamda bu arzumun yerine getirileceği, ancak Anadolu illerine gitmem gerektiği bildirildi. Buna karşılık benim de ne bağışlayabileceğim sorulmuştu. Ben de:

— Başımı, diye cevap vermiştim. Uyanınca, hemen yola düştüm. Anadolu'yu gezdikçe, Mevlâna'nın adını, şöhretini duyuyordum. Kararımı verdim. Konya'ya gidecektim. Eğer aradığımı bulursam mesele tamamdı. Bu niyetle yola düştüm.

Bir gün Urfa'da bir adam gördüm. Kırbaçlandığı hâlde çıkmıyordu sesi. Kırbaçlandıkça susuyordu. Peşine takıldım ve niçin kırbaçlandığını sordum. Bir kadına âşık olduğundan bu hale düştüğünü söyledi. "Bu kadar acı çektiğin hâlde neden ses çıkarmadın?", diye sordum.

"Sevgilim bana bakıyordu", dedi.

Bunun üzerine kendisine: "Ya yüce Allah'ın seni hep gördüğünü bilseydin!" dediğimde haykırarak yere düştü.

Hz. İbrahim Peygamberimiz'in haclegâhında büyük bir manevi haz aldım.

"Nemrut'un attığı ateşlerde devasa alevlere İbrahim'ini yaktırmayan Rabbim! İçimde öyle ateşler birikti, öyle alevler sardı ki dört bir yanımı, ne olur ateşimi alacak dosta ulaşayım, kanadıma rüzgâr olsun âşıkların soluğu, bir an önce Konya'ya uçayım", diye niyazlar içindeydim. Pârendeydim. Uçan yani. Uçmak ne ki, yerde leş arıyorsa gözler! İşte akbabalarda uçuyor gökte, kara gölgelerini bir bir bırakarak. Var mı uçabilen kalbin ötesine?

Bir hafta sonra Diyarbakır'daydım. Sabah namazından öğlen namazına kadar yolumu kaybettim. Üç günlük bir yürüyüşten sonra bir dağın yüksek tepesine çıktım. Buradan aşağıya dik inen bir yamacı ve o yamacın ötesinde akan su ve köy sokaklarını görüyordum. Köy uzak olduğu için yüzük kadar ve köyün tepeleri ise çocuk boyunda gözüküyordu. Özetle, gönlümü ölüme teslim edip kendimi oradan yuvarladım. Beni gören köylüler, beni bir canavar, kaplan veya buna benzer bir varlık sandılar. Dik yamaçtan sanki avuçları üzerinde kayıyor gibi aşağıya doğru yuvarlandım. Köye varınca köylülerin büyük bir kısmı gelip ayağıma kapandılar. Bana hayretle bakarak, "Bu bir cin mi yoksa Hızır mı ki buraya burnu bile kanamadan düştü?" diye düşündüler.

Diyarbakır'dan apar topar sessizce ayrıldım. Geceydi, adımlarım rüyalarımı çiğniyordu. Konya'ya bir an önce varmak için tatlı bir telaş içindeydim. Sanki ben Mevlâna'yı yıllardır aramışım, sanki Mevlâna yıllardır beni bekliyordu. Fetih ümitleri ile doluydum. Konya'ya vatanım diye koşuyordum, dudaklarımda meçhulün yani Mevlâna'nın susuzluğu.

Sana geliyorum. Soluğum kâh bir çöl rüzgârı gibi yakıcı, kâh bir çöl gecesi gibi serin.

Erzincan'a giderken bir sufi topluluğu bana yoldaş oldu. Beni önder seçtiler ve dediler ki: "Senin müsaaden olmadan bir yere inmeyiz ve yola çıkmayız. Birbirimize darılsak da iznin olmadan bir işe girmeyiz." Birkaç gün karınlarını tam doyuracak bir şey bulamadılar. Kavun mevsimiydi. Bostancılardan birisi bizi işaret ederek: "Dervişler! Gelin, bismillah deyin (Allah rızası için yiyin)." Hemen gitmeye kalkıştılar. "Açız ve sen de aç isen durma, bu keramet reddedilmez." Bunun üzerine: "O bostan yerinde duruyor. Hani Sûfi vardı ya, cebindeki ekmeğe demişti ki: Eğer senden iyisini bulursam onu, yoksa sen zaten elimdesin, seni yerim" dedim.. Biz kulaklarımızı işitmez gibi yaparak el işaretimizle "Ne var" dedik. Yaklaştı ve ısrar etti. Dedim ki "Bir şartla. Dervişlere yediğin kavunlardan verirsen davetini kabul ederiz." Birden heyecana kapılıp ayaklarıma kapandı. Aslında adam ham kavunları dervişlere verme niyetindeymiş. Ona dedim ki: "Sen kavunların iyisini dervişlere verme. Sen iyisini ye ve Allah yolunda kötülerini ver. Bu sana yakışmaz." Adam feryat ederek kendini yere attı ve dervişleri üç gün daha konuk etti. Koyunlar kesti. "Bu kadarı yeter. Sen erenleri yedi gün konuk ettin, şimdi kendine bak." dedim ve yola koyuldum.

Erzincan'a vardım; dostlardan ayrılmıştım ve orada beni kimse tanımıyordu. Hoş vakit geçirdim. Oyun oynadım ve güreş tuttum. Ama çok geçmeden beni keşfettiler ve dediler ki, "Sen Şems'in ta kendisisin." Üç günlüğüne işçilik aradım ama kimse beni işe götürmedi. Zayıf gördükleri için beni seçmediler. Yoldan geçen bir zenginin gözü bana ilişti. Kölesini gönderip benim orada ne aradığımı sordu. Dedim: "Sen bu yolun kâhyası mısın? Eğer şehrin ve yolun kâhyası isen bana söyle?" Kısacası, adam bana saygı gösterip evine götürdü ve beni iyi bir yere oturttu. Yemekler sundu ve uzakta diz çöküp oturdu. Yemeğimi bitirince bana dedi; "Bu şehirde bulunduğun sürece her gün gel ve ye. Bu sözü gitmeme engel oldu."

Bir gün beni gördü ve dedi: "Beni bu zorluktan kurtar, zira dostluk tek taraflı olmaz: 'Gönülden gönüle açılan pencere vardır.' Benim gönlüm sana karşı yanık ve inanıyorum ki sende böyle bir duygu var. Neden beni perdede tutuyorsun? Söyle bunun hikmeti nedir? Benim usulüm şöyledir. Kimi sevsem önce ona karşı sert davranırım. Sonra her şeyimle onun olurum. İyiliğimle, kahrımla, etimle ve kemiğimle. Çünkü iyilik öyle bir şeydir ki beş yaşındaki çocuğa iyilik göstersen, o senin evladın gibi olur. Ancak mert olan kişi önderinin neler çektiğini ve belalara karşı ve nasıl sabrettiğini bilendir. Hatta bu belaların ardından ne gibi devletin geldiğini ve onların önderini nereye götürdüğünü de görür. Nasıl sırlara eriştiğini ve yok olmaktan korkmayarak belaya, hatta binlerce belalara, eriştiğini de açıkça hisseder.

Sivas'ta ikindi namazını kılıp tam yola çıkmak üzereydim. Caminin duvarının dibinde birisinin yüksek sesle şöyle dua ettiğine şahit oldum.

— Allah'ım bana rahmet kapısını aç.

— Allah'ın rahmet kapısı kapalı mı ki açmasını istiyorsun? Rahmet kapısı her zaman açık. Kapın açık mı sen ona bak!

— Nasıl dua edeyim?

— Günahları terk etmekten daha güzel dua mı var? Sen dünyayı ahirete götüremeyeceğine göre... Öyle yaşa ki dünya seni ahirete götürsün.

Şehirleri dolaşıyorum. Şehirler gördüm. Şehirdeki ölüler mezarlıktakilerden çoktu. Aşktan uzaklaşan her can ölüydü benim için. Ölüler konuşuyordu ben susuyordum.

Sivas, Kayseri derken Aksaray'a uğramıştım. Münasip bir han aradım. Yıkanmak istiyordum, feracemi de temizlemeliydim. Uygun bir han bulamadım. Mescitte gecelemeye karar verdim. Mescide gelip bir köşeye büzüldüm. Yatsı namazından sonra, müezzin kapıyı kilitleyeceği zaman beni gördü, sert bir dille çıkıştı:

— Hey, kimsin sen? Çık buradan, git başka bir yerde pinekle.

— Beni bu gecelik mazur gör. Garip bir yolcuyum. Yatacak yerim yok, sizden hiçbir şey istemem. Müsaade et de şuracıkta geceyi geçireyim, dedim.

Müezzin büsbütün kızdı. Bağırıp çağırmaya, acı sözler söylemeye başladı. Sözünden incinmiştim, dayanamadım:

— İnşallah dilin şişer, diyerek mescitten uzaklaştım. O anda müezzinin dili şişmeye, boğazını tıkamaya başlamıştı. Hırıltılarına, imam efendi yetişti:

— Ne var, ne oluyor, diye sorar. Müezzin, eliyle uzaklaşmakta olan beni göstererek güçlükle:

— Beni bu hale getiren o. Koş ondan af dile. İmam koştu. Beni yolda yakalayarak:

— Aman efendim, o miskin müezzin, sizin kim olduğunuzu bilememiş, kusuruna bakmayın, onu kurtarın diye yalvarmaya başladı.

— İş işten geçti artık. Hüküm Allah'ındır, ben bir şey yapamam. Yalnız, onun imanla ölmesi, ahiret azabını görmemesi için dua ederim...

Ve yoluma devam ettim. İmam geri döndüğü zaman müezzin çoktan ölmüştür.

Konya'ya doğru yaklaştım.

AŞK-I MEVLÂNA YURDUNA VUSLAT

*Allah senin kapından aşk sarayına bir insanı alacaksa,
o insana sen nasıl ben seni sevmiyorum dersin?*

Ey Konya, sana gelene değin senelerce yürüdüm. Ömrüm yolların üzerine ağını örmüştü. Yürüdüm, yürüdüm. Sırtımda gecenin karası bir ferace, ayağımda ucu delik bir papuç; ama gözlerimde güneşi ve yatağını arayan nehirleri içimde taşıyarak. İğde kokulu yollardan geçtim. İçimdeki çığlıklar adımlarımdan öndeydi daima. Hani benim okyanusum nerede ey Konya!

Konya'ya niyetlenişim boşuna değildi, son ümidim Konya' daydı. Rüyamda aradığım şeyhin Konya sultanı olduğu bildirilmişti. Rüyalar onu gösteriyordu. Yollar onun adresini işaret ediyordu.

1244 yılının Kasım ayında bir perşembe akşamı Konya'ya girdim. Konya minarelerini uzaktan gördüğüm zaman heyecanlanmıştım. Yolda bir delikanlıya kalabilecek bir han sordum. Şekerciler Hanı'nı tarif etti. Yüzüme tuhaf tuhaf bakan hancı beni zengin bir tüccar sandı:

— Buraya satın almaya gelmiş olduğunuz şey ne?

— Bir elmas, dedim.

— Öyleyse yanlış şehre gelmişsiniz dostum. Burada pirinç

ve gümüşümüz vardır. Ayrıca şehrimiz, dokumacıları ve de altın işçiliğiyle de ünlüdür. Çarşıda lacivert taş, inciler ve damarlı akik de bulabilirsin. Ama burada hiç elmas yoktur.

— Eşsiz bir elmas gözlerinizin önünde ve siz camdan başka bir şey görmüyorsunuz! Şimdi beni daha fazla oyalama. Odanın anahtarını uzat, diyerek yukarıya çıktım.

Odaya girdiğimde sille halısı yün minderle kaplı koltuk ve pamuk döşek vardı. Hepsini kaldırıp köşeye yığdım. Yerdeki hasır yeterliydi bana. Orucumu açtım, avuç içi kadar ekmek ve yarım bardak su ile. Namazımı kıldım. Elbisemi yıkadım, astım. "Yarın ola aşk ola" diye istirahata çekildim.

Ertesi gün Kasım ayının 25. günüydü. Sabah namazını kıldıktan sonra Cuma vaktine kadar Kur'an okudum. Daha sonra hana tekrar dönüyordum. Etraftakiler kadını erkeği, çoluğu çocuğu herkes bana tuhaf tuhaf bakıyorlardı. Sanki koca şehirde tek yabancı benmişim gibi yahut da üzerimde değişik bir alâmet varmışçasına bakışları ile beni ısırıyorlardı. Hanın kapısı önünde taşlığa oturmuş, gelip geçenleri seyre dalmıştım. Dalgınlığım seneler öncesine götürdü beni. Mekânda kalan bedenime rağmen ruhum ayları devire devire Şam'daki o ilk görüşe, o efsunlu bakışa döndü. Geçmişin gizem tüten hatırası gözümün önüne geldi. Bir zamanlar, ikisi Şam'da buluşmuşlardı. Büyük caminin önünde Şems halka hitap ediyordu. O sıralarda, kuşku ve sıkıntının mengenesine yeni yakalanmakta olduğu için uykusuz geceler geçiren Mevlâna, sesin sahibini dinlemek üzere yaklaştı. Ses, başka bir dünyadan, gizemli bir dünyadan geliyordu. Kökten sarıp sarsan şey, ne sözler ne de anlamdı; konuşmanın tınısı, rengi, tadı, herkesi etkileyen yanıydı. Ama Mevlâna başka bir tat alıyordu, sözler onu yakıyordu…

Mevlâna bakışını Şems'e odaklaştırdı… Fukaralığına, ıstırabına ve de görkemine… Şems de ona baktı. Ve o anda bakışları birleşerek içlerinde sonsuz bir ölümsüzlüğün inlemesi oluştu. Şems konuşmasını keserek, ortalıktan kayboldu. Mevlâna annesini yitiren bir çocuk telaşında sağa sola bakarak kendisini yakan sözün sahibini arıyordu. Nafile, hiçbir yanda onu bulamadı. Sanki yer yarılıp Şems'ini yuttu. Endişe ve merak içinde olup bitene anlam vermeye çalışırken aniden omzuna değen bir el ile irkildi. İçindeki ışığın kaynağı: "Ey dünya sarrafı beni bul!", dedi. Ardından bir hayal gibi tekrar kayboldu. Bütün bu olanlar karşısında hayretler içinde kalan Mevlâna, yüreğinde tarifsiz bir yanma hissetti. Heyecanını yatıştırmak üzere büyük caminin basamaklarına çöktü. Biraz sonra, bu olay silinip unutuldu. Hayallerinin içinde esmekte olan fırtına, Mevlâna'yı uzun süre Şam'da tutamadı. Sonra Konya'ya döndü.

Bugünse Şam'daki güneş Konya'ya doğdu. Koskoca bir derya damlanın peşi sıra sürüklenmişti. Mademki Mevlâna okyanusun kıyısına gelmesine rağmen dalmamıştı, okyanus damlaya giriftar olsun, o hâlde diye ta uzakları, çölleri avucuna, dağları sırtına yüklenerek gelmişti Şems.

"O geliyor o..." sesi ile daldığım hayalden uyandım. Vakit ikindiye doğru gelmişti. Çarşıda sokaklarda bir hareketlilik, bir tatlı telaş başladı. Sanki gelen bir imparator sandım yapılan hazırlık ve halkın hararetli sevinçlerinden. Sokaktakiler kenara çekildiler, dükkândakiler ayaklandılar ve dışarı çıktılar. Oturanlar ayağa kalkıp ellerini göbek hizalarında birleştirdiler. "Bu ne merasim, bu ne hürmet yarışı" diye şaşırdım. Oysa gelen üzerinde müderris olduğu halinden belli birisinden başkası değildi. Sağında solunda talebeler olduğu hâlde, bir katırla geliyordu. Herkes:

— Mevlâna Celâleddin geliyor, diye ayağa kalkıyor, hürmetle selâmlıyorlardı. Demek yıllardır adını işittiğim, bir defasında da Şam'da gördüğüm Mevlâna buydu. Şu katır üzerindeki kısa siyah sakallı, yanık buğday benizli, mütebessim insan. Hoşuma gitti hali, tavrı. İçimden "İşte bulmaya geldiğim elmas bu" dedim. Yerimden kalktım, dar sokaklarda ilerleyen, ilerledikçe de fark edilip katılan insanlarla büyüyen kalabalığın peşine takıldım. Şöhreti büyük olan yol göstericinin halka vereceği vaazın kaçırılmaması gerekiyordu.

Cemaatin önünde Mevlâna'nın sarığının arkası görülebiliyordu: Kumaştan sanki bir ışık huzmesi yayılıyordu. Eğer çağırsa dönüp arkasına bakıp beni göreceğini ve böylece Mevlâna'nın katırın üzerinden kendi kollarıma düşeceğini biliyordum ama kendime hâkim oldum. Dostların, birlik sarayına kol kola yürümeye başlamadan önce muhabbet koridorunda buluşmaları gerektiğini biliyordum.

Kalabalığı yarıp katırın yanına ulaştım. Mevlâna, düşüncelerinin içinde kaybolmuş, çevresinin farkında değildi. Katırı çeken yaşlı adamın elinden yuları çekip alarak hayvanı durdurdum. Yaşlı adam karşı çıkmaya çalıştıysa da gelen eritici bakışım onu susturmaya yetti.

— Sen, âlimlerin sultanı Baba Veled'in oğlu Mevlâna mısın?

Mevlâna şaşkınlıkla, karşısında çakmak çakmak gözlerle:

— Benim diye mırıldandı.

— Söyle bana içlerinden hangisi daha büyüktü; ermiş Bayezid-i Bistami mi, yoksa Hz. Muhammed mi?

Mevlâna, katırı öne doğru mahmuzladı:

— Nasıl soru bu? Hiç şüphe yok ki Hz. Muhammed büyüktür.

Yaşlı adamın yuları almasına izin verdim ve topluluk tekrar yola koyuldu. Oysa daha sözümü bitirmemiştim. Mevlâna'nın arkasından bağırdım.

— Peki, Hz. Muhammed daha büyükse neden "Seni bilmem gerektiği gibi bilemedim" dedi de Bayezid "Zafer benimdir! İtibarım ne büyüktür. Çünkü sadece Hak'la doluyum" dedi.

Katır durdu ve Mevlâna eyer üzerinde geri döndü. Kaşlarını çatıp bir süre düşündü. Bu adamın nereden tanıdık geldiğini hatırlamaya çalıştı. Daha önceden karşılaşmışlar mıydı?

Mevlâna'nın soruya ilk cevabı kendiliğinden gelmişti ama bu sefer dikkatle düşündü:

— Hz. Muhammed hâlâ Allah'ı arıyordu ve bildikleri durmak için ona yeterli gelmiyordu. Bayezid ise Allah'ın içinde kaybolmuştu. O vardığını sandı; ama varmak diye bir şey yoktu.

Dilini şaklatıp katırı öne sürdü ve bir kez daha katır kalabalığın içinde kayboldu. İyi bir cevap, diye mırıldandım. Evet, yanılmamıştım, bu adam aradığımdı. Onca yolu boşuna tepmemiştim. Takibe devam ettim. Ben arkalarından gelirken Mevlâna'nın kafasını çevirip bana bakmasını istiyordum. Ah bir baksa. Ah bir tutuşsa. Haydi, dön bir bak diye heyecan içinde takibe devam ettim. Çevredekiler neler olup bittiğinin merakı içindeydi. Halk benim umurumda değildi. Umurumdaki katırın üstünde ilerliyordu.

Topluluk, Karatay Medresesi'ne ulaştı ve Çinili Kubbe'nin kapladığı mekânın bir kenarına iliştim. Herkes oturmuş, bense ayakta durmuş Mevlâna'yı süzüyordum. "Böylesi genç bir adam ve cübbesinin içinde nasıl da ciddi!"

Medrese beklenti içerisinde titreşiyor, kısık seslerin uğultusu duvarlardan yankılanıyordu. Kubbenin ortasındaki fenerden bulutsuz gökyüzü içeri süzülüyordu. Hemen altında geceleyin yıldızlar âlimi tarafından yıldızları izlemek için bir ayna gibi kullanılan sığ bir havuz bulunuyordu.

Bir öğrencisi Mevlâna'nın önündeki masaya birtakım kitaplar bıraktı ve herkes yerini aldı. Tam hitabetine başlayacaktı "fırsat bu fırsat" diye:

— Bilgi sahibi olmak ile bilmek farklıdır. Bilgi sadece hafızanın bir parçasıdır. Bu halinle ancak âlim olarak kalırsın. Bilmek varlığımızın parçasıdır. Bu halinle de ancak arif olursun. Bilmenin ötesine ermek ruhumuzun maveraya yolculuğudur. Bu halinle de âşık olursun. Şimdi söyle Mevlâna sen nesin?

Kafasını kaldırdı, bana öyle bir baktı ki olduğum yere bayılmışım. Kendime geldiğimde Mevlâna başımda bekliyordu. Mevlâna elimi tutarak ve yaya olarak kendi medresesine götürdü. Birlikte bir hücreye girdik. Bu hücre kuyumcu Selahaddin'in hücresidir. Orada bir süre baş başa kaldık.

Mevlâna:

— Sultanım! Çok şehirlere uğradın biliyorum, oralarda irşada devam etmek varken neden zahmet ettin buralara kadar, dedi. Gülümseyerek cevap verdim:

— Gittiğim yerlerde hep aciz firavunlara rastladım; kul olmaya bir türlü razı olmayan insanlara rastladım. İlk defa bir kula rastladım. O sensin.

— Ey Şemseddin Tebrizî, ey mâna âleminin incisi, gerçi evim sana lâyık değil; ama sadık bir bendenim şimdi. Kulun nesi varsa efendisinindir. Bundan böyle bu ev senin; çocuklarım, oğulların ve kızlarındır, diyerek bütün hanegâhını bana açarak beni taltif etti.

Mevlâna'yı da denemeyi istiyordum. Acaba diğer denediğim mürşitler gibi yalpalayıp kolaya mı kaçacak yoksa sırra hâkim olmak için tahammül mü gösterecekti? Mevlâna'da benim de anlayamadığım bir farklılık vardı. Klasik hoca tipine benzemiyordu; fakat etrafındakilerin perdesinden içindeki açlığı göstermekten çekinen bir hali vardı. Sanki meydana çıkıp rakibini tartmak isteyen iki güreşçi gibiydik. Ben şeyh arıyordum, o şeyh arıyordu. İkimiz de susamış su pınarının başında bekleyen şahin kuşuyduk. Bir zamanlar Evhadüddin-i Kirmani'ye yaptığım gibi Mevlâna'ya da şarap getirmesini söyledim. Mevlâna herkesin hayret ve dehşet nazarları arasında bu arzuma boyun eğdi. Dergâhından dışarı çıkıp bir solukta Rum meyhaneciden kendi eli ile aldığı şarabı getirip önüme koydu. Şarabı şaşkınlıkla bakan gözlerinin önünde yere döktüm.

— Ben şarap içmem. İstemekte amacım seni denemekti. Sen de diğerleri gibi misin, değil misin? Sen tahminimin de üstünde bir ermişsin. İlk sınavları yavaş yavaş geçiyorsun, haydi hayırlısı bakalım. Sende bu kudret ve tahammül varken, sana bu dünyada kimse denk olamaz. Mevlâna bana doğru sevinçle sarıldı. Sanki herkesin kabul edilmek için yarıştığı bir nimete kendisi kavuşmuşçasına sevinerek sımsıkı kucakladı beni. O anda senelerin bütün yorgunluğu, dağların bütün yükü üzerimden düşmüşçesine hafifledim. Allah'a şükrettim böyle bir dostu seneler sonrası bana nasip eylediği için. Kalktım, iki rekât şükür namazı kıldım. Mevlâna'nın ev olarak kullandığı küçücük medresesi sırlanmış, aşk ve mâna ile dolmuştu.

O güne dek, talebelerine ders veren bir müderris, camilerde vaazlarıyla sevilen bir hatip, fetvalarıyla halkın müşküllerini halleden bir halk müftüsü olan Mevlâna Celâleddin, şimdi herkesten, her şeyden uzak, benim sohbetimle donanan aşk sofrasına bağdaş kurmuş, kana kana içiyordu.

— Doğu olsam, batı olsam, göklere çıksam, senden bir nişane bulmadıkça, dirilikten bir nişane bile yok bana. Ülkenin zahidiydim, minbere sahiptim, kürsüm vardı. Şimdi ise gönül kazası, sana karşı ellerini çırpan bir âşık haline getirdi beni! diyordu.

Sende o var, bu var; falan dedi var, falan anlattı var,
Peki sende senden ne var Mevlâna?

Bir gün medresedeki havuzun başına oturdum zikir yapıyordum. Mevlâna koltuğunun altında kitapları ile yanıma geldi. Geldiğim günden bu yana biliyordum ki kitaplarını elinden düşürmüyordu. İçimden "Ah zavallıcık, aradığını o kâğıtlarda bulacağını sanıyor. Yıllardır okudun ne geçti eline.", dedim. Tebessümle selam verdi yanıma oturdu.

— Elindekileri çok mu okudun?

— Evet, gece gündüz okuyorum.

— Eeee ne geçti eline? Ver bakalım neler varmış? Bu babanın yazdığı mı?

— Evet, rahmetli babamın göz nuru.

— Bu da sen çocukken aldığın ilk hediye Esrarnâme mi?

— Ya şu paçavra Mütenebbi denen şaşkının şiirleri mi?

— Evet.

— Hımmm. Bana uzat bakalım şu cilt cilt kütükleri.

Uzattı hepsini bana. Kitapları birer birer suya atmaya başladım. Bu sırada müritleri olup bitene anlam verememiş. Şoka girmişlerdi. Baktı ki Mevlâna yıllarca göz nuru döktüğü kitaplar birer birer havuza atılmış, havuz mürekkep deryası haline gelmişti. Ağlamaya başladı. Dervişler bir çırpıda havuza girerek kitapları kurtarmaya çalışıyordu ki sesimi olabildiğince yükselterek:

— Olduğunuz yerde durun. Karışmayın. Çekin gidin işinize, dedim. Mevlâna yere diz çökmüş havuzda yüzen yadigârı baştacı kitaplara bakarak ağlıyor bir yandan da dizlerine vuruyordu. Gülümseyerek ona baktım. Havuza girdim. Kitapları tek tek topladım:

— Al istediğin kitap bu kitap değil mi? diye Mevlâna'ya uzattım.

Hayret. Esrarnâme tozuyla duruyordu. Sanki bir havuz dolusu su içinden değil de, kütüphane rafından alınmıştı.

Aşk ilmi medresede öğrenilmez, aşkı kâğıtlar da bildirmez. Muradın aşkı bellemekse, senelerdir okudun da öğrenebildin mi? Kitapları bir daha elinde görmeyeyim. Hatta babanın Maarifini bile okumana müsaade etmiyorum. Sende o var, bu var; falan dedi var, falan anlattı var, peki sende senden ne var Mevlâna? Ne zamana kadar başkalarının, babanın gölgesinde serinleyeceksin. O gün ben böyle yapmasaydım ve kitaplar için bu kadar sert konuşmasaydım, Mevlâna ne aşkı anlayacaktı, ne de benim ayrılığımdan o muhteşem eserler ve insanlığa sunduğu "Mesnevi" diye bir kitabı olacaktı.

HALVETTEN MİRAC'A

> Muhammed'den muhabbet oldu hâsıl
> Muhammedsiz muhabbetten ne hâsıl

Halvet, Arapçada yalnız kalıp, tenha bir köşeye çekilmek demektir. Tasavvufta ise, zihinsel yoğunlaşmayı ve bazı özel zikirlerle riyazetleri gerçekleştirmek üzere, şeyhin müridini, karanlık, dış dünyadan soyutlanmış bir yere, belirli bir süre için koymasıdır. Allah ile gizlice konuşmak, kalbi yanlış inançlardan ve kötü huylardan temizlemek, kurtarmak da halvet olarak değerlendirilir, bu anlamda kulun, kendini bütün varlığıyla Allah'a verip, O'ndan gayri her şeyden uzaklaştığını ifade eder.

Halvet; Hz. Peygamber'in vahiy gelmeden önce Hıra'da uzlete çekilme uygulamasından doğmuştur. Hz. Musa'nın, Tur'daki kırk günlük, Allah u Teâlâ ile olan özel görüşmesinden esinlenerek, halvet genelde kırk güne hasredilmiştir. Bu kırk güne bağlı kalınarak, halvete erbain ve çile de denmiştir. Ancak halvetin ana gayesi; düşünceyi Allah'tan gayri her şeyden uzak tutmaktır.

İnsanlar bizim dört duvar arasında gizli-saklı ketum konulardan konuştuğumuzu sanıyorlar. Tecessüs etmeye ne kadar istekliler. Oysa halvetimiz, hasbıhâlimiz mânaya erenlere aşiyandır. Dertlere dergâh olan bize agâhtır.

Sanıyorlar ki sabahtan akşama kadar miskin miskin oturduk. Sanıyorlar ki halvet dört duvar arasında kaybolmaktır.

Sıradan yaşamak âşıklara abes gelir. Veliler, aşktan korkan insanlarca ilk bakışta deli olarak algılanır. Veli, deli-çılgın algılanmayı önemsemez. Çer çöpü dert etmez. Oysa öyle derin dertler, karanlık girdaplar aştık ki bilmezler.

Halvet Mevlâna'nın rahlesidir. Halvetlerimiz olmasaydı pişmesi ya daha da uzun sürecekti ya mümkün olmayacaktı.

Güne Kur'an'ı tefsir ile başlayabilirdi. Tasavvufun koridorunda yürüyorduk. Duvardaki taşları Horasan harcı ile kapatarak her halvet bir merhaleye yolculuktu. İlmel Yakin, Aynel Yakin ve Hakkal Yakin'de yoğrularak. Dışarıdan gelen ses sosyal hayat telaşı bu yollarda mâna ikliminden koparacağı için Mevlâna'yı dışa kapattım. İçe inmenin yolu dışa kapalı, dışarıya sağır olmakla mümkündür. Bu da halvet ile olur.

İbadetlerimizi aksatmıyorduk. Visal orucu ile huşu namazlarımıza görülmeyen varlıklarda eşlik ediyordu. Dergâhtakiler zannediyorlar ki odada Mevlâna ve Şems var. Bizimle olanları bazıları göremedi. Görmeye güçleri dayanamazdı.

Halvetlerimiz kimi zaman soru-cevap, kimi zaman benim konuşup Mevlâna'nın sustuğu, ya da Mevlâna'nın anlatıp benim dinlediğim hasbıhâl olarak geçiyordu.

Âleme dair ne varsa konuşuyorduk. Aşka ait ne varsa yudumluyorduk. Yakıcı sorularım terletiyordu Mevlâna'yı. Bulunduğumuz yerde soba, ocak, ateş istemiyordum. Ateş olarak dilim yetiyordu. Oldum olası ılık havayı sevmezdim. Buz gibi soğukta terlemekten güzel ne var ki?

Halvetlerimizde yeri geliyor Mevlâna titriyor, oraya baygın düşüyordu.

"Aşk nedir? dediler Mansur'a. Sabredip bekleyin dedi. Üç güne varmaz görürsünüz. Önce kollarını, ayaklarını kestiler. Her uzvu aşk dedi. Astılar bedenini, o yine aşk dedi. Yakıp küllerini nehre saçtılar. Her bir zerresi huşu ile Enel-Aşk (Ben Aşkım) dedi."

İlk halvetleşme günlerinde hücreye çekiliyorduk. Mevlâna'ya "visal orucunu tutacağız" dediğimde şaşırdı. Bir şey diyemedi. "Nasıl olur da tutarız, mezheplerce caiz olmayan orucu" diye düşünüyordu içinden. Tereddüdünü gidermek için visal orucu "peygamberlere ve âşıklara caizdir" dedim. Âşık olmaksa niyetin, önce visal orucundan başlamalısın. Visalin vuslatın perdesini açmaktır. Merakta kaldınız. Açıklayayım size visal orucunu: İftar etmeden iki ya da üç gün üst üste tutulan oruca denir.

Mevlâna ile günler süren halvet ile haldaş olduk ama sırlarıma vaki olmaya hazır görmek için onu da sınavlardan geçirmeliydim. Bu sınavlar önemliydi. Eğer diğerleri gibi en ufak bir tereddüt gösterirse, o gece sessizce Konya'yı terk edecektim.

Bir sabah odamın kapısını vurdu.

— Gel Mevlâna'm gel. Otur. Senden bir isteğim olsa yapar mıydın?

— Tabii söyle.

— Bana gönlümü eğlendirecek bir kadın getir. Kalktı. Biraz sonra hanımı Kira Hatun'u getirdi.

— O benim can bacımdır, bu olmaz.

Niye sokaktan yabancı bir kadın değil de eşini getirdin? Eşini hiç mi kıskanmıyorsun. Yoksa anladın mı niyetimi.

Mevlâna, Kira Hatun'a gidebilirsin, diye onu uğurladı. Sonra bana bakarak sen şehvetten, kadından uzaksın, bunu bildiğim için beni sınadığını anladım ve Kira'yı getirdim. Aynı zamanda sana verdiğim mesaj: Ey dost, nem varsa yoluna fedadır.

Peki, senden şarap isteseydim Yahudinin dükkânına gider miydin, adam mı gönderirdin?

— Kendim gider, şarabı satın alır, getirirdim.

— Güzel. İşte senelerdir aradığım senmişsin yanılmamışım. Şimdi yavaş yavaş sana bilmeyi çok arzuladığın içindeki boşluğu dolduracak mânaları öğretebilirim. Ben sana hoca, sen öğrenci; ben öğrenci, sen bana hoca olacaksın, unutma... Seni eski harabe halinden bizarlı şahane haline getirmek için sert, ağır, kimi zaman da imtihan edici tavırlarıma hazırsın artık. Haldeşliğimiz içinde an be an seninle bütünleşeceğiz dedim. Başını sağa doğru eğdi, elini sol göğsüne dayadı ve geri geri yürüyerek odamdan çıktı.

Gençliğimde aradığımı yaşlılığımda buldum, neylersin.
Ya ben erken geldim ya sen geç kaldın vuslata, neylersin... kader!

Yazgısı yol üzerine yazılmış Mevlâna'ya ruhum işte ilk kez bu benzerlik ile kaynaştı. Onun ömrü de hicret üzerindeydi. İki yolcu, iki arayan günü gelince birbirini bulacaktı. Buldum. Buldu. Yoldaş olduk böylece. İnsanlar bu nedenle ikimizin ikinci kez buluşmasına "Marece'l Bahreyn - denizlerin kaynaşması" diyorlar. Taşmadık. Taşırmadık.

O kadar yol aldım, koku sürdüm; ama Mevlâna gibi yol yordam bileni bulamadım. Hangi dergâha gitsem içim ekşidi. Hocaların birbirinden farkı yoktu. Benim yanımda hepsi çömez, hepsi benim gözümde çakıl taşıydı. Elması Konya'da buldum. Ben pirim, ben üstadım diye sözde mürşit geçinenleri önce bir güzel dinliyordum. Bitti mi sohbetin diye soruyordum. Evet dediklerinde şimdi bir soru sorayım diyordum. Sorduğum soru karşısında terlemeye, oflamaya, üflemeye başlıyorlardı. Yanındakiler homurdanıyordu. Bıraksan beni linç edecekler. Baktım sabır taşacak, terk ediyordum o meclisi. Mürşit olarak sınadığım hocalar benim müridim oluyorlardı. Ben kendime kitle istemiyordum, ne yapayım müritleri. Bana mürşit gerek, diye başka diyarın yolunu tutuyordum. Hanlar hanem oldular. Gittiğim şehirde handa kalırdım. Eğer köy veya kasaba ise bir ağaca tırmanır dallarda gecelerdim.

Geceyi severim, o nedenle ömrüm boyunca tek elbisem siyah bir ferace olmuştur. Bir keresinde Mevlâna kendisine gelen bir sandık dolusu kumaşı önüme attı.

— Nedir bunlar?

— Hint kumaşları

— Nereden geldi?

— Sultandan hediye

— ...

— Bir elbise diktirsek sana Şems.

Gülerek dedim ki çaputlar çivi olur batar tenime. Bunları fakirlere dağıt. Siyah feracem yeter bana. Bunu yıllardır sırtımda taşıyorum.

— Niçin siyah?

— Geceyi severim. Garipler gecenin eridir. Bu er de bir gece ölecek, dedim. Sustu.

Benimle sırdaş olmak isteyenleri sınamadan hasbıhâl etmezdim. Dostlarınızı sınayın. Dost mu post mu belli olur. Ödleklerden dost olmaz.

Önce sevgiyi anlayalım.
Her şeyin başı sevgidir diyenlerin kıblesinde neden sevgi yok?
Gel sevgiden yola koyulalım. Yolun sonunda ne var görelim Mevlâna'm

Mevlâna ile minderin üzerine bağdaş kurup hasbıhâle başladık. Geldiğim günden bu yana istediğim kıvama yaklaşıyordu Celalettin. Ben konuştuğum zamanlarda öyle güzel dinleyişi vardı ki, sürekli konuşmam, onun da dinlemesi bazen hoşuma gitmiyordu. O anlarda soru cevap şekline çeviriyordum muhabbetin seyrini.

— Biliyor musun Mevlâna'm, Allah, sevgiyi aylaklara vermez. Zira sevginin, yalnız kendisine ait olmasını ister. Çünkü sevgi O'ndadır ve O'nunla oluşur. O hâlde Allah'a sevgi, sapasağlam ve yıkılmaz bir sevgidir. Bu sevgi, Allah'ı, kalp ve dille sürekli anmak, Allah ile sağlam bir dostluk kurmak, Allah'tan uzaklaştıran her meşgaleyle ilgiyi kesmek, O'nun nimet ve ihsanlarını düşünmektir. Böylece Allah, her kime kendisini cömertlik, kerem ve ihsanı ile tanıtmışsa o kişi Allah'ı böylece bilir.

— O hâlde sevgi mi öncelikli, itaat mi?

— Sevginin başlangıcı itaattir. Fakat itaat, Yüce Mevlâ'ya duyulan sevgiden ayrı bir şeydir; çünkü sevgi, itaat ile başlar. Nitekim Allah, kendi azametini insanlara tanıtır ve böylece onları, kendine itaate götürür. Sonra da -onlara muhtaç olmamakla birlikte- kendini sevdirir. Böylece sevgiyi kendisine özgü kılıp, sevenlerinin gönüllerine yerleştirir. Sonra onların kalplerindeki sevginin şiddetli aydınlığı yüzünden, apaçık nuru, onların sözlerine giydirir. İşte Allah onları bu hale getirince, onlardan duyduğu memnunluk nedeniyle onları meleklerine sunar.

Allah âlemi sevgiyle yarattı; bu yüzden âlemi dolduran çokluğu aşk üretir. Allah, yaratıkları sevmeye asla son vermez; dolayısıyla onları yaratmayı asla sona erdirmez. Her şey aşkla karılmış ve aşka karışmıştır; çünkü onları Allah'ın sevgi sıfatı varlığa getirir ve tüm eylem ve etkinliklerini o harekete geçirir.

"Allah güzeldir ve güzeli sever" hadisini şöyle anlayacağız. O kendisini güzelliği seven biri olarak tavsif etmiştir; dolayısıyla O, âlemi sever. O güzeldir; güzellik aslî olarak sevilen bir şey olunca, bütün âlem de Allah'ı sever. Âlemin bir kısmının başka bir kısmına olan sevgisi Allah'ın kendisine olan sevgisinin bir esintisidir.

"Allah'tan başka hiçbir âşık ve hiçbir sevgili yoktur."

Dost'u aramak farz olmuştur âşıklara,
Boşanarak yüzüstü sürünen seller gibi O'nun ırmağına.

Kaldı ki isteyen bizzat O, bizse gölgeler gibiyiz;
Ey bütün konuşmalarımızda hep O konuşmakta.

Kâh çağlarız seller gibi Dost'un ırmağında,
Kâh bir su gibi hapsoluruz O'nun bardağında.

"Dost, Dost, nerdesin?" diyoruz Dost'la oturmuşuz da,
"Nerdesin?" diyoruz boyuna sarhoşluktan, O'nun yanında.

Aşk da böyledir. Hiç kimse Yaratan'ından başkasını sevmez; ama O Zeynep, Suat, Hint, Hurşid, ne dünya, para, makam ve dünyada sevilen her şeye duyulan sevgi dolayısıyla ondan perdelenir. Şairler sözlerini tüm bu varlıklar üstüne tüketirler; ama onlar bilmezler. Arifler, şekillerin perdesi arkasında gizli Allah hakkında olmayan bir dize, bir muamma, bir kaside, bir aşk şiiri asla işitmezler.

İnsanların -anne, baba, dostlar, gökler, yer, bahçeler, saraylar, bilgiler, işleri yiyecek, içecek gibi- çeşitli şeylere karşı duyduğu umut, arzu ve tutkularının hepsi Allah'a karşı duyulan arzulardır ve bütün bunlar perdedir. İnsanlar bu dünyadan göçüp Ezelî-Ebedî Padişahı bu perdeler olmaksızın görünce, tüm bunların birer perde ve örtüden ibaret bulunduğunu ve arzularının nesnesinin gerçekte o "Tek Şey" olduğunu bilirler. Onların tüm güçlükleri halledilir, kalplerindeki tüm sorular ve müşkülâtlar cevaplandırılır ve her şeyi yüz yüze, apaçık görürler.

Bütün aşklar gerçekte Allah için aşktır. Aşk iyidir; çünkü ilahîdir; ama âşıklar onun hakiki nesnesini tanımayacak olurlarsa o aldatıcı bir perde olarak kalır.

Aşk, muhtaç olmayan Allah'ın bir sıfatıdır,
Başka bir şeye duyulan aşk mecazdır.

Altın kaplamadır çünkü başkalarının güzelliği;
Dışından pırıl pırıl, ama zifirî dumandır onun içi.

Parıltı gidip de açığa çıkınca duman,
Buza keser mecazî aşk o zaman.

Geri döner o güzellik kaynağına,
Benden kalır geride: kokuşmuş, adi ve kaba.

Geri döner hani aya ay ışığı,
Kalmaz kara duvarda yansıması.

— Sevenler ne için korku duyarlar ve ne için ümit ederler Şems?

— Kalplerinin geçmiş günlerde elde ettiğini kaybetmekten korkarlar. Sonra her sevenin kalbinden ayrılmayan bir korku nedeniyle endişe ederler. Sevgilinin, onlara ihsan ettiği nimetlere gereğince şükretmeyip bu nimetlerden mahrum kılınmaktan korkarlar. Böylece korku onların kalbine iyice yerleşince ve nefisleri umutsuzluğa düşmeye başlayınca, Allah'ın rahmetinin genişliğini hatırlayarak ümitleri kuvvetlenir. Sevenlerin ümidi hakikate ulaşmak ve vesilelerle O'na yaklaşmaktır. Böylelikle (korku ve ümit arasında olduklarından) O'nun hizmetinden ve O'na itaatten uzak düşmezler ve tüm işlerinde O'nun emrine göre hareket ederler. Zira bilirler ki O, kendilerine hoşgörü ile bakacağına kefil olmuştur. Allah'ın şu âyetini işitmedin mi? "Allah kullarına lütfedicidir." (Şura,19).

Her nimet lütuf demektir. Allah'ın diğer yaratıklar dışında özellikle onu sevmesindeki lütuf ise apaçıktır. Nitekim sevgi bir kulun kalbinde iyice yerleştiğinde, ne insan ne cin, ne cennet ne cehennem, ne de sevgiliden başka herhangi bir şeyi hatırlamak ona erdemli gelmez. Seven, sadece sevgilisini, onun kudret ve keremini, kendisini sevenlerden uzaklaştırdığı kötülükleri anmakta fazilet ve zevki bulur. Tıpkı Allah'ın İbrahim Halil Aleyhisselam'ı kendisi için yakılmış büyük ateşten kurtarması gibi. Ki, böylelikle izzet ve celal sahibi olan O, kudretinin eserlerini ve kendisini isteyene, hiçbir karşılık beklemeksizin yardımını İbrahim Halil'e göstermiştir. Sevenlerin, Allah'ın velilerine verdiği şu vaatlerini anmaları da aynı bağlamdadır: Onlar, (dünyada) Allah'a kavuşacaklar ve perdeleri kalkacaktır; herkesin cennetle cehennem ortasında bekleyip şiddetli korkulara duçar olacağı en korkunç günde yani kıyamette ise hüzünlenmeyeceklerdir.

— Sana göre tutku (şevk) nedir?

— Bana göre tutku, sevgi nurundan aydınlığını alan ve asli sevgi üzerine fazlalık da olmayan bir kandildir.

— Asli sevgi nedir?

— İmanın sevgisidir. Yüce Allah, müminlerin kendisine olan sevgisine şahitlik etmekte ve şöyle buyurmaktadır; 'İman edenlere gelince, onlar Allah'ı daha şiddetle severler.' (Bakara, 165)

Öyleyse tutkunun aydınlığı, sevginin nurundandır. Tutkunun fazlalığı ise dostluk sevgisindendir. Tutku, kalpte ancak dostluk nurundan harekete geçer. Öyleyse Allah, bir kulunun kalbinde, tutku kandilini parlattığında, kalbin vadilerinde hareket eden tutku değildir; ama kalp onunla aydınlanır. Bu kandili ancak iman gözüyle bakmak söndürür. Kul, amellerinde, bir kere düşmanından emin oldu mu ameli terk etmek endişesinden uzaklaşır.

Mevlâna sükûnetle başını öne eğdi. Düşündü. Odaya sessizlik çöktü. Sağ elini göğsüne koyarak:

— Yüce Sevgili'yi görmek bize nasip olacak mı? diye sordu.

— Bil ki: Allah'ın velilerinin Allah'ı görmesi asla şahısların, cisimlerin, cinslerin, cevherlerin, arazların, sıfat ve mevsufların mekân ve yön üzere görülmesi gibi değildir. Allah'ı görme, tüm bunlardan daha şerefli ve çok daha üstün, cismani her vasfın, maddi her sıfatın üzerinde bir kavramdır. Bu görme; nurdan bir nurun, nurun içinde ve nur için nuru görmesidir. Nitekim Allah şöyle buyurmaktadır: "Allah göklerin ve yerin nurudur. O'nun nuru, içinde kandil bulunan içi oyuk bir kandil gibidir. Kandil bir sırça içindedir. Bu sırça da sanki incimsi parlak bir yıldızdır ki ne doğuya ne batıya nispet edilmeyen bir zeytin ağacından yıkılır." (Nur, 35). Yani ne doğuya ne batıya derken, ne şekilsel ne de heyulani demektir.

Mevlâna sözlerimi işittikten sonra yüksek ses ile "Allahhhhhhhhh" diye bağırdı ve ardından şu beyitleri söyleyerek sema etmeye başladı.

"Yeryüzünde sevenlerden daha kötü durumda olan biri yoktur.
Arzunun tatlı lezzetini bulduğunda,
O aşığı ağlarken görürsün her an;
Ya iştiyakından yahut da ayrılık korkusundan...
Kavuştu mu, ayrılma korkusuyla ağlar,
Ondan uzak kaldı mı, şevkinden ağlar.
Evet, aşığın gözleri, sevgilisinden ayrıldığında da yaşla dolar,
Ona kavuştuğunda da"

Semayı tamamlayıp mindere yığılınca onu tekrar dinç hissettirmek için dedim ki:

— Allah ilk maşuktur ve bütün varlıklar O'nu arzular, O'na yönelir ve işler bütünüyle O'na döner. Zira varlıkların var oluşları, kıvamları, beka ve süreklilikleri ve kemâlleri ancak O'nunladır. Varlığı kendinden olan tek varlık O'dur. Ey kardeş, Allah seçilmiş ve veli kullarına vaat ettiği gibi seni de kendi Zat'ına ulaştırsın ve senin nurunu tamamlasın. İşte bu müjde şu âyettedir:

"Kıyamet gününde, erkek ve kadın tüm müminlerin nurları önlerinden ve sağlarından gider, işte o inananlar diyecekler ki; 'Ey Rabbimiz! Nurumuzu tastamam yap, bağışla bizi. Şüphesiz sen her şeye kadirsin.'" (Tahrim, 8)

Mevlâna olduğu yerden birden ok gibi fırladı. Bana öyle bir sarıldı ki tüm kemiklerim neredeyse un ufak olacaktı. Sürekli yanağımı öpüyor eli ile sakallarımı okşuyordu.

— Allah seni, bizi ve tüm asil ihvanımızı doğru yola ulaştırsın. Seni, bizi ve tüm kardeşlerimizi hidayet yoluna kavuştursun. Muhakkak ki O kullarına çok merhamet edendir.

İnsanlar üç sınıftır Celaleddin. Birinci sınıf, muhabbet değneğiyle dövülmüş ve şevk kılıcıyla maktul olmuşlardır. Bunlar, Allah'ın kapısında oturup ihsan beklerler. İkinci sınıf tövbe değneğiyle dövülmüş ve pişmanlık kılıcıyla maktul olmuşlardır. Bunlar da O'nun kapısında oturup affı beklerler. Üçüncü sınıf ise gaflet değneğiyle dövülmüş ve şehvet kılıcıyla maktul olmuşlardır. Bunlar da O'nun kapısında oturup cezayı beklerler."

Anla ki aşkın aslı üç mertebe üzeredir: İnsanî aşk, ruhânî aşk ve Rabbâni aşk. İnsanî aşk, aşkın başıdır ve ruhanî aşkın basamağıdır. Ruhânî aşk da Rabbâni aşkın merdivenidir. Rabbâni aşk, cevheri saf, cismi lâtif, görünümü zarif, tabiatı ince, ruhu yumuşak, sırrı aydınlık ve yaradılışı yüce insanlarda açığa çıkar. Öyleyse aşk, cemal, güzellik, yetkinlik ve ahlâk sahiplerinde bulunur. Zira aşkın fıtratı, mıknatıs gibi güzellik madenlerini kendine çekmektir.

Aşk, her güzeli, kendi güzelliğinden yaratan Allah'ın güzelliğiyle süslenmiştir. Kişi, Âdem'e emanet verilmiş ezeli güzelliğin insandaki durumu bakımından âşık olduğunda tedricen ruhani aşka yükselir. Ruhânî aşk, ezeli güzellik madenlerinde ruhların kıvılcımıyla ışımıştır. O ruhlar ki, Hak onlara, tüm sıfatları ile onları var ederken güzellik ve cemal sıfatıyla tecelli etmiştir. İşte insan bu iki mertebede yetkinliğe ulaşınca ve bu iki aşkın terbiyesine erişince, ona Hakk'ın cemali âşık olur. Böylelikle de onun aşkı, Hakk'ın, ezelde onun hakkındaki aşkına uygun düşer. Bu durum şu âyetin anlamıdır: "O, onları sever, onlar da O'nu."

Hz. Peygamber (s.a.v) de şöyle buyurmuştur:

"Allah buyurur ki; 'Kuluma benimle meşgul olmak galip olunca, ben onun şehvetini beni istemesi ve bana yönelmesi kılarım. Böyle olunca da kulum bana ben de kuluma âşık olurum. Kulum benden gafil olduğunda derhal onunla gaflet arasına girerim. İşte bunlar benim hakiki velilerimdir. İşte onlar hakiki yiğitlerdir. Ben yeryüzüne bir bela indireceğim zaman onların hürmetine bundan vazgeçerim'."

Onun aşkı, cemal sıfatının ortaya çıkmasıyla, onda, Allah'ın aşkının zuhur etmesinden ibarettir. Bu sebeple "Davut Allah'a âşık oldu", denmiştir. Keza Araplar "Muhammed Rabbine âşık oldu", demişlerdi.

Elâlem şarap içer sarhoş olur,
biz aşk ehliyiz, içmeden sarhoş olmuşuz.

Cemreler düşmüş, Konya'ya bahar gelmişti. Mevlâna ile birlikte onun çok sevdiği Meram bağlarına gezintiye çıktık. Yaya olarak gitmeyi teklif ettim. Sağolsun reddetmedi. Dergâhtan ve çarşıdan erzak almadan yola düştük. Meram'a geldiğimizde derenin kenarında bir meşe ağacının altına oturduk. Bülbül sesleri o kadar etkileyici şakıyordu ki derenin su sesi ile bülbülün şakıması insanın içini bulutlara yükseltiyordu. Biraz uzakta birkaç Rum bir ağacın altında et pişirip şarap içmekteydi. Mevlâna onlara doğru bakıyordu. Birden bana doğru döndü:

— Ey Şems, sana bir soru sorabilir miyim?

— İllâ ki soracaksan sor bakalım.

Neden insanları şarap ile sınav yapıyorsun? Benden de ilk isteğin şarap getirmemdi?

— Sır, er kişilerde bulunur, aşk erlerin damarından akar. Erleri bulmanın yolu da en çok korktukları günah ile denemektir. Hele hele topluma rağmen, elâlem ne der, imajım sarsılır, itibar kaybedersem diye çekindikleri şaraptır da ondan. Senden öncekiler, bu terletici sınavı daha başlamadan kaybetti. Sen de şarap sınavını henüz kazanmış değilsin. Sadece ilk safhayı başardın. Yalnızken meyhaneden gidip şarap getirmekte değil marifet. Günü geldiğinde tekrar imtihanın var unutma. Şu an o imtihanın altından kalkabileceğine emin değilim. Hazır olduğunu hissettiğim an sınavın başlar. Şimdi şu karşıdaki sarhoşlarla bizim aramızda fark görüyor musun?

— Ne yani bizler de mi ehl-i sarhoşuz.

— Sarhoşluk, kendisiyle, sözün anlaşılmasını sağlayan ve ayırt edebilme gücünü meydana çıkaran "aklın" kaybolduğu bir lezzettir. Allah buyuruyor ki; "Ey iman edenler, sarhoşken ne söylediğinizi bilene kadar namaza yaklaşmayın!" (Nisa, 43). Burada Allah, sarhoş hükmünün bitmesi için, söyleneni anlayabilmeyi şart kılmıştır. Demek ki ne söylediğini bilmeyen kişi, sarhoşluk içindedir. Söylediğini bilir hale gelince de sarhoş hükmünden çıkmaktadır. İşte bu, ilim ehlinin çoğunluğuna göre sarhoşluğun tanımıdır. Sen ehli fıkhı seversin. Ne diyor senin uleman sarhoşluğun tarifine, anlat bakalım.

— İmam Ahmed bin Hanbel'e; "Birinin sarhoş olduğu nasıl bilinir?" denildiğinde o; "Kendi elbisesini başkasının elbisesinden ve ayakkabısını başkasının ayakkabısından ayırt edemiyorsa..." dedi. İmam Şafi'den -Allah'ın rahmeti üzerine olsun- şu (söz) rivayet edilir: "Düzgün sözü karışıyor ve gizli sırrını ifşa ediyorsa sarhoş demektir."

Davud el-Isfahani şöyle demiştir: "Eğer üzüntüleri dağılmışsa ve gizli sırlarını ifşa ediyorsa, sarhoştur."

— Sarhoşluk, iki anlamı kendinde toplar; lezzetin varlığı ve ayırt etme yetisinin yokluğu. Sarhoşluk denince, bazen bu ikisinden biri, bazen de her ikisi kastedilir. Muhakkak ki nefsin, idrak ettiğinde lezzet duyacağı birtakım tutkuları ve şehvetleri vardır. Fakat bu lezzetlerde gerek derhal ortaya çıkacak gerekse sonradan meydana gelecek birtakım çirkinliklerin bulunduğunu bilmesi, kişiyi, böylesi hazlara yönelmekten alıkoyar. Akıl, nefse, onu yapmamasını emreder. Fakat (iyiliği) emreden akıl ve (kötülüğü) açığa çıkaran bilgi ortadan kalkıverince, nefs tutkusuna kapılır ve her şeyi yapabilecek hale gelir.

Sarhoşluğun sebebi lezzet olduğu gibi, bazen keder de olabilir. Nitekim Allah şöyle buyuruyor;

"Ey insanlar! Rabbinizden korkun! Çünkü kıyamet vaktinin depremi müthiş bir şeydir! Onu gördüğünüz gün, her emzikli kadın emzirdiği çocuğu unutur, her gebe kadın çocuğunu düşürür. İnsanları da sarhoş bir hâlde görürsün. Oysa onlar sarhoş değillerdir; fakat Allah'ın azabı çok dehşetlidir!" (Hacc, 1-2)

Sarhoşluğun diğer bir sebebi, aşığın, sevgilisini gördüğünde duyduğu sevinçtir. Bu durumda sözü karışır ve aklı gittiğinden hareketleri değişir. Hatta bazen duyduğu bu sevinç, onu doğal bir neden ile öldürür. Bu doğal neden şudur: Kalpteki kan, normalin çok üstünde yayılır (kan deveranı çok fazla süratlenir) ve dolayısıyla gerekli sıcaklığı taşıyan kan kalpten çekilince, kalp soğuyarak ölüme neden olur. Şimdi anladın mı aşk ehlinin de sarhoş olduğunu. Şimdi kalkıp şu adamların yanına gitsen ve bize şarap getirsen bil ki biz şaraptan değil, şarap bizden sarhoş olur. Haydi, biraz Meram'ı dolaşalım.

Dilsiz dudaksız sözler söyleyeceğim sana, bir şeyler anlatacağım bütün kulaklardan gizli, herkesin ortasında konuşacağım; ama senden başka duyan olmayacak söylediklerimi...

Halvetlerimizde Mevlâna, yavaş yavaş istediğim yere doğru gelmeye başladı; ama hâlâ kulağı dışarıya sağır değildi. Kitapları bırakalı epey zaman olmuştu. Hayatını değiştirdim, eski düzeninden eser kalmadı; ancak yüreğinde bazı tortuların kalıp kalmadığından emin olmalıydım.

— Mevlâna! Suyun durulanmadan sırrı veremem, bilesin ki bulanık suda gusül alınmaz. "Eğer Allah insanlara âşık olmasaydı, insanların O'na âşık olmaları mümkün olmazdı" (*Maide, 54*).

— Şimdi aşk yoluna girmeye hazır mısın? Kendini bu olgunlukta görüyor musun? Hâlâ hamsın Mevlâna'm.

— Hâlâ ham mıyım? Peki pişmem için, o sırlar perdesini aralamam için daha ne yapmalıyım?

— Nefis nedir Mevlâna?

— Nefis, kendin olmaktır. Hz İsa: "Sen" ey Allah'ım, "kendimde olanı bilirsin; ama ben sende olanı bilmem." (Maide 116).

— Şems: Soğuk demir dövmek, bir eşeğin kulağına Yasin okumaktır.

— Mevlâna: Çok az insan kendi öz nefisleri üzerinde tefekkürde, sorgulamada bulunur. Aynada gördüğün fiziğindir, kalbinde gördüğün nefsindir.

Çok güzel konuştun Muhammed. Ayna dedin de;

"Nereye dönerseniz dönün, Allah'ın yüzü oradadır." (Bakara 115)

— Eğer O bize bakmasaydı, var olmamız son olurdu. Arifler mecazın eteğinden gerçeğin zirvesine tırmanırlar ve böylece miraçlarını mükemmel hale getirirler.

— Ey Şems! Piştim, eridim. Erdir artık beni sırlar sırrına. Hâlâ beni aşkın gizemli hazinesine davet etmeyecek misin?

— Piştim mi diyorsun şimdi?

— Elhamdülillah.

— Ciddi misin?

— Sübhânallah.

— Samimi misin peki?

— Amennâ.

— O hâlde son sınavına hazırsın.

— İnşallah.

— Yarın kuşluk vakti yaya olarak Sille'ye gideceksin. Rum şaraphanesinden bir testi şarabı ulu orta güpegündüz halkın gözü önünde sırtında taşıyarak dergâha getireceksin. Yapar mısın bunu?

— Elbette.

— Halk seni kınayacak ama.

— Umurumda değil.

— Ulema hakkında kötü fetvalar hazırlayacak ama.

— Önemsemem bile.

— Konya dedikodu kazanını kaynatacak ama.

— Kazanları batsın.

— Oldu o zaman. Yarın ola hayır ola, görelim samimi misin değil misin?

Ertesi gün kuşluk vakti Mevlâna tek başına kimseye bir açıklama yapmadan yola düştü. Sille'den bir testi şarap alarak sırtında terleye terleye dergâha geliyordu. Şarap testisi herkesçe bilinecek kadar şekli ve rengi ile diğer testilerden farklıydı. O gün hava açık ve güneşli olduğundan çoluk çocuk neredeyse bütün halk dışarıdaydı. Sokaklar, caddeler, çarşı pazar insan ile kaynıyordu. Mevlâna sırtında şarap testisi yürümeye devam ediyordu. Onu görenler gördüklerine inanamıyordu. Yıllarca kendilerine vaaz eden, ilmihal öğreten âlim diye övdükleri adam milletin gözü önünde sırtında şarap taşıyordu. Olacak şey değildi doğrusu. Sessiz düşünenler, içinden buğzedenler yavaş yavaş seslerini Mevlâna'ya duyuruyorlardı:

— Yuh artık, yazıklar olsun. Şu işe bak. Bu ne biçim Müslüman. İçmek haramsa taşımak da aynı derecede günah dememiş miydi vaazlarında.

— Örtülü kadınlar pencerelerden:

— Eyvah ki, ne eyvah. Koskoca Mevlâna'nın düştüğü hale bakın.

Dükkân önündeki esnaflar:

— Başımıza taş yağacak, hoca şarap taşırsa kıyamet yakın demektir.

Mevlâna söylentilere, kınayıcı bakışlara aldırmadan yorgun ve bitap hâlde yaklaşmaktaydı dergâha. Ben ve birkaç derviş dergâhın kapısının önünde onu beklemekteydik. Arkasında meraklı kalabalık ile kapının önüne geldi. Alnından ter akıyordu boncuk boncuk. Dervişlere su getirmelerini emrettim. Zümrüt yeşili mendilimle alnını sildim. Testi hâlâ omzunda duruyordu. Halk olup bitenin sonunun nereye varacağının telaşındaydı. Mahşeri bir kalabalık oluştu. İçlerinde meraklı Hıristiyan ve Yahudiler de vardı. Kapının önünde gece kapıyı kapattıktan sonra kapının arkasına konulan büyük bir taş vardı. Taşın üzerine çıktım. Mevlâna'nın omzundaki testiyi elime aldım:

— Ey gafiller, ey zahirle amel eden şaşkınlar. Siz buraya Mevlâna'yı yuhlamak, ayıplamak için toplandınız değil mi? Nasıl olur da âlim, arif bir zât şarap taşır dediniz, onu adım adım takip ettiniz ve hakaretlerinizi sıraladınız. Siz ne çok yanılıyorsunuz. Siz şeklî Müslümansınız. Size cüppe, tespih ve sakal yeter değil mi? Sağırsınız, körsünüz, bundan beteri nankörsünüz. Bugün bütün Konya kaybetti. Bugün kazanan sadece Mevlâna'ydı. Sille'den buraya şarap taşıdığına hükmettiniz. Alın şarabınızı zıkkımlanın! Testiyi baş aşağı ters çevirip içindekini dökmeye başladığımda yere akan bembeyaz süttü...

Mevlâna bile gördüğüne şaşırdı, diz çöktü yere ağlamaya başladı. Elinden tutup kaldırdım. Yanağından öptüm.

— Sınavı alnının teri, ruhunun nuru ile geçtin diyerek elinden tutup halvet hücremize girdik. Mindere çömeldi. Sağ kulağına fısıldadım. "Allah u Ekber!" diye öyle bir bağırdı ki uzakta uyuyan bir bebek sesten uyanırdı.

Musiki'nin ritminde bir sır saklıdır;
eğer onu ifşa etseydim dünya alt üst olurdu.

Mevlâna ile her sabah namazı Kur'an okurduk. O okur ben dinlerdim. Ben okurdum, o dinlerdi. Kur'an zikrinden sonra geldi dizini dizime dayadı. Kur'an-ı Kerim'i öperek rahlenin üzerine bıraktım.

— Kur'an bir zikirse, insanın ona cevabı da bir zikirdir. Allah'ın peygamberleri aracılığı ile tebliğ ettiği zikirdir. Allah'ı hatırlatan her şey zikirdir. Zikir olmadan aşk olmaz, aşk olmadan nefis aynada kendini göremez.

— Birileri gizli zikir diye bir deyim uydurdular. Hatırlamanın kapalısı olur mu? Körler çarşısında ayna satılır mı? Gürültü zikir değildir, heykel gibi durmak rabıta değildir. Zikir semâdır, musikidir. Neyin üflemesindeki zikir binlerce dervişin tesbihâtından daha anlamlıdır. Yarından itibaren namazdan önce ney üfleyeceğiz tamam mı?

— Tamam Şems'im. Musikiyi konuşalım mı biraz da.

— Elbette. Söyle mızrabından gelsin ruhumuza mânalar.

— Musiki de bir Allah'ı zikirdir. Yaprakların, suyun akışındakiler de bir zikirdir. Kâinat musiki ile can almıştır.

— Musiki elestteki sesimizin yankısı. Seslerin Allah'a aşkımızı aktarması. Ruhumuzun okşanması.

— Senden önce sema yoktu. Musiki yoktu. Aşk yoktu. Şems geldi, Mevlâna aşka geldi.

Mevlâna'nın sözleri musikileşiyor, ruhumu okşuyordu. Öyle bir hal dili vardı ki edebiyat naçar, belâgat duçar düşerdi Mevlâna'nın billur akan pınarı karşısında. Aşka geldim, cezbelendim. "Allaaaaah" diye haykırdım. Kapıdaki dervişi içeriye çağırdım:

— Odamdan bir kamış getirin! Mevlâna şaşırdı. Gelen bir kamıştı delikleri olmayan. Kamışın ucuna üfledim boşluk doğdu. Parmak uçlarımı ara ara dokundum delikler peyda oldu. Mevlâna'ya dönerek:

— Biz ney gibiyiz, bizdeki nâme senden gelir. Allah'ın ilk yarattığı şey kamıştır. Ve kamışa sırrını üfledi.

— Mevlâna:

— O hâlde semâ taksimimizde neyimiz, İsrafil'in sur'u olsun dedi. Tamam, mânasında başımı salladım.

"Şeytanda bir şey hariç bütün insani özellikler mevcuttur. Şeytan aşkı bilmez. Aşk şeytana verilmemiştir. Aşk Âdemoğullarına verilmiştir. Şeytanın insanı kıskandığı çekemediği aşksızlığındandır..."

Mevlâna ile hücremizde hasbıhâl ediyorduk. Söz dönüp dolaştı, şeytana geldi. Mevlâna:

— Şeytan şey midir, şer midir?

— Şeytan aşktan yana bahtsızdır o kadar.

— Şeytanın bize secde etmemesindeki sır neydi?

— Şeytanın sana secde etmemesinin sebebi seninle bu sırrı geçmek istemesiydi... Günah burada işlendi... Şeytan sınırı ihlâl etti... İnsanla birlikte, meleklerin kaldığı yerden, daha ileriye gitmek, yeniden huzura kavuşmak istedi... Belki insana bu yüzden secde etmedi... İhtiraslı bir çılgın gibi... İnsanı kıskandığı için... Allah'a en yakın olabilmek için... Ama şeytan bilemedi aşksızlığından Allah'a kavuşamayacağını, insanı bundandır çekememesi yani aşktan mahrum kalmanın ezikliği şeytanın kaprisi.

— Allah'a en yakın olabilmek için insan olmak gerekiyorsa o da ateşten bir insan olmak istedi öyle mi?

— Meleklerin masum teslimiyetinin yanında, şeytanın kavurucu ateşi... Ve insanın hakikatinin içinde narla birlikte nuru birleyeceğini ve Allah'a teslim olacağını bilemedi... Bunu bilse, kendi ateşinin, insanla birlikte Allah'a yakın olabileceğini bilse, o zaman insana secde eder miydi?

— İblisin insanı ateşe dönüştürme çabalarının bu dünyada sonuçsuz kalacağını, ama takvaya sarılırsa insanın kendi şeytanını secde ettirebileceğini biliyoruz artık...

— Bazı insanlar ölünce cehennemin yakıtı olabilecekler ama bu dünyada elhamdülillah ateş olmayacaklar... Bu dünya hayatı aynadaki sırdır... Sır aşk ve ölümün arasındaki kıldan ince zar gibidir. Aşk, sırrın tek anahtarı; kilit ölümde. Bu dünyayı, ölümden önce öldürebilirsek kalbimizde, aynada sır kalmaz ve görebiliriz her şeyi... Her şeyde gizlenen şeytanı... Onu alnındaki perçeminden tutup secde ettirebiliriz hemen Allah'a...

— Takva sahibi bir insanın üzerinde gücü yoktur şeytanın. Sana kendini güçlü göstermeye çalışır yalnızca. Hiç uyumaz. Ancak sürekli zikir ile kurtuluruz onun bizi tanımasından. Bütün zerrelerinizle yapılan zikrin, her an her boyutta kâinatın birliğine uyumu sağlanır o zaman. İşte o an şeytan yenilir. Sen korunanlardan olursun. Onun ise yaşama alanı kalmaz artık ve insana secde eder...

— Musa'nın asası yılanı yutar... İnsanın kalbi o sınır tanımayan şeytanı, Allah'a secde ettirir... İnsanın kendinden bile gizlenen sır, kalbin sırrı, nihayet aradan çekilir... Ve insan, kelimeleri de bırakır o sınırda, Sidretü'l Münteha'nın ötesine geçer...

"Ey karanlıkların gölgesinde tutsak edilmiş insan
Kalbinin içinde seni bekleyen ışığın farkına var artık
O ışık Cennet'te emanet edildi sana
O emanetle indirildin dünyaya
Ateşler içinde bir nurla
Beden çarmığına gerildin sonra
Kalbinde açan bir gülle."

Halvetler sonrası miracı özleyen Mevlâna ayağı yere değince hücrede yaptığımız sema ile teselli bulacaktı. Zaman ve mekândan uzak olarak ruhun yolculuğunda *mavera*ya ermek.

Her yolun bir adabı vardır.
Allah'ı sevmenin de bir adabı vardır.
Derviş, sadece gönlü geniş ve
ruhu gezgin bir sufi demek değildir ki!...

Dergâhın bahçesinde güllerin yanında Mevlâna ile hasbıhâl ediyorduk. Mevlâna'yı ziyarete felsefecilerden bir grup geldi. Soruları olduğunu bildirdiler. Mevlâna onlara beni göstererek:

— Benim sorularımı cevaplayana sorun, diye bana havale etti. Bunun üzerine, gelen felsefeciler üç sual sormak istediklerini belirttiler.

— Sorun, dedim. İçlerinden birini başkan seçtiler. Hepsinin adına o soracaktı. Sormaya başladı:

— Allah var dersiniz, ama görünmez, göster de inanalım.

Öbür sorunu da sor.

— Şeytanın ateşten yaratıldığını söylersiniz, sonra da ateşle ona azap edilecek dersiniz hiç ateş ateşe azap eder mi?" dedi.

— Peki, öbürünü de sor.

— Ahirette herkes hakkını alacak, yaptıklarının cezasını çekecek diyorsunuz. Bırakın insanları canları ne istiyorsa yapsınlar, karışmayın, dedi.

Bunlar mı sorularınız şimdi benim peşimden gelin size cevapları vereyim. Kalktık, dergâhın bahçe duvarı için kerpiç yapan müritlerin yanına vardık. Yerden kurumuş bir kerpiç aldım ve adamın başına vurdum. Soru sormaya gelen felsefeci yanındakilerle apar topar Konya kadısına gittiler. Mevlâna "Şimdi ne olacak" der gibi bakıyordu. Onun aklından geçenleri okudum:

Meraklanma bekle gör, sorularının cevabını öyle alacaklar ki dergâhına tövbeye hidayete gelecekler. Şimdi mahkeme görevlisi bizi kadıya çağırana kadar namaz kılalım. Aradan yarım sat geçmişti, haber geldi, birlikte kadının huzuruna vardık. Kadının odasında bizim şaşkın filozoflar hazır ol vaziyetinde bekliyorlar, kerpici yiyen kafası sarılı olarak olup biteni bir de bizim yanımızda kadıya anlatmaya başladı:

— Ben soru sordum, o başıma kerpiç vurdu, dedi.

— Ben de sadece cevap verdim. Kadı bu işin açıklamasını istedi.

— Bana Allah'ı göster de inanayım, dedi. Şimdi bu felsefeci, başının ağrısını göstersin de görelim. Filozof şaşırarak:

— Ağrıyor ama gösteremem, dedi.

— İşte Allah da vardır, fakat görünmez. Yine bana, şeytana ateşle nasıl azap edileceğini sordu. Ben buna toprakla vurdum. Toprak onun başını acıttı. Hâlbuki kendi bedeni de topraktan yaratıldı. Yine bana; bırakın herkesin canı ne isterse onu yapsın. Bundan dolayı bir hak olmaz, dedi. Benim canım onun başına kerpici vurmak istedi ve vurdum. Niçin hakkını arıyor? Aramasa ya! Bu dünyada küçük bir mesele için hak aranırsa, o sonsuz olan ahiret hayatında niçin hak aranmasın, dedim. Felsefeci, bu güzel cevaplar karşısında mahcup olup, söz söyleyemez hâle düştü. Herkesin huzurunda elime sarılarak:

— Bunca yıldır senin gibisini görmedim, başka Müslüman âlimlere aynı soruları sordum saatlerce lâf ürettiler. İkna olmamıştım. Sen dininin adamısın. Bize İslam'ı sevdir.

— Haydi, Mevlâna'mızın dergâhında yarım kalan hasbıhâlimize dönelim, diyerek geri döndük. Mevlâna'nın gözlerinin içi gülüyor, beni hayranlık ufkunda büyütüyordu. Aşkı öğretmek için önce güven ardından yürek fırtınası estirmeniz sonra sevgiyi parlatmanız gerekir. Ben Mevlâna'yı fethettikçe deryanın derinliği artıyordu.

Bugüne kadar dergâhta ve camide dört duvar arasındakilere konuştun. Bırak, benim gibi gökkubbe altında konuşmaya bak. Ey Mevlâna! Kalk ve uyar! Kötüler için son demler bunlar. İyiler artık kendilerini yalnız hissetmesin... Konuş, Allah'ın aşkı çok yakında hepsinin kalbine inecek. İçinde aşk olan, dua okunan bir kalbe şeytan yaklaşamaz bu vakitten sonra.

Ateş yaklaşıyor bütün harareti ile. Yakacak ve yanacak. Kim üfledi ateşi kim? Şeytanı sormuyorum sana Mevlâna. İnsan olmak isteyeni, o kan içiciyi soruyorum. Kim? Kabil, Habil'i neden sevmiyor? Cehennemi görmeden, Cenneti bilebilir mi insan? Ah o insan... Nur bilinmeden nar nasıl anlaşılır?

Mevlâna: "Zamanın değerini bilemedik. Yeniden dönebilmemiz için Cennet'e bize sunulan bir ikramdı o. Dumansız ateşten uzak durmamız istenmişti. Kendimizi bilmemiz lâzımdı. Ya ateşin göbeğine düştük ya lağım çukuruna! Ah nefis sen yok musun?"

Beyaz üveyikler, başlarını geri çekiyor karanlığından gecenin. Soğuk, buz gibi nehir ayaklarının dibinden akıyor sabah. Geceyi çakal ulumaları dolduruyor. En uzakta, dağın arkasında bir güneş doğmayı bekliyor. Doğmayı ve doğurmayı. Sence neyi doğuracak biliyor musun Mevlâna'm? Ve ellerinde bir kuş ölüsüyle Hıristiyan bir kadın gelecek kapına. O ölü kuş nefistir. Can üfle havalansın. Tövbe suyundan içir, Müslüman olsun.

Ey Tennure! Ümidin yurdu ol. Binlerce kez bozsa da tövbesini ölü canlar. Secdede dökülen yaşları topla mendilinde. Koklasın biçareler. Huzurun kokusu insin mermerleşmiş kalplere.

Ey Ateş! Islat artık deryaları. Ardından damlalar gelsin inci, mercan. Nerede bir kötülük varsa orada ol Mevlâna! Yak iblisin kuyruğunu. Ölmeden önce ölmüş sözcükleri kötülerden toplayabilirsin. Cehennemi görmeden, cenneti bilebilir mi insan? Aceleci insan her yerde cehenneme koşar. Nur hızdır sanır. Kan içinde kan. Ateş içinde nar. İblisin dumansız ateşinde boğdurma kuşları.

Mevlâna acıdan kavrulmuş bir kelime ile başlıyor konuşmaya. İkimiz de Allah'a hemence koşmak istiyoruz. Birbirimize bakarak geçelim diyor bu dumansız ateşlerin içinden.

— Ne olacaksa olsun artık. Varalım huzura, ağlayalım, gözyaşlarımız o tertemiz inciler gibi aksın sonsuzluğa...

Mevlâna:

— Yoruldum, çok yoruldum bu dünya bedenimin içinde. Sessizliğin tenha sessizliği içinde birlikte namaz kılsak, manevi iklimlerin içinde kaybolsak.

Gel diyorum. Tutuyorum elinden ayağa kaldırıyor ve sema ediyoruz iki can.

— Asli günah diye bir şey yoktur. Bu safsatayı şeytan işledi beyinlere. Böylece pisliğini örttü şeytan. O günahına ortak arıyor.

— Günah işlemeden de cennette kalabilir miydik? Ötekine ihtiyaç olmadan birbirimizi görebilir miydik?

— İşte bunun için bu imtihan. Varsa samimiyetin sınavı geçersin. Dünya hayatı geçici derken kastedilen bu mânaydı. Sır benim. Sır aradan çekilince 'öteki' diye bir şey kalmaz ortada.

— Aşk şehvetten iğrenir. Neden mi? Şehvet zevkten ve

cazibenin köpeği olmak, demektir. Hep önüne leşini atar, ara sıra da taze et sunar. Zevkten uzak durana, benim gibilere sıra dışı deli derler. Şükür deliyim. Düşünmenin bir onuru vardır. Çok telaşlı düşünüyoruz; yürürken, yolculukta ya da diğer şeylerde. Düşünce hıza dayalı değildir. Düşünce gelince yolun ortasında da olsan otur, saatlerce keyfini sür. Toprak hızlı yağan yağmuru nasıl emmezse yürek yavaş aheste ve ağırlığınca onuru olan düşünceyi sever.

— Bilinçsizce yaşanan ahlâk, erdem değildir. Olsa olsa güdüsel taklitçiliktir.

— Hepimizin gizli bahçeleri ve bitkileri var içinde; hepimiz patlama noktasına gelmiş eski yanardağız. Sen içindekini patlatmazsan dışarıdan gelen seni patlatır. Bahçen tarumardır artık.

— Sana zehir vereceğim, eğer zayıfsan zehir seni öldürecektir. Güçlü isen zehir sende ballaşacaktır. Şimdi razı mısın Celaleddin?

— Ben bir kişi değilim, ben daima özün kendisiyim.

Mevlâna kalkar kâğıda bir şeyler yazar, kapının dışına asar. Kâğıtta okunan:

— Giren buraya onurlandırır beni, girmeyense sevindirir.

— Yeni bilgi peşinde ol. Öndeki düşüncelerinle örtüşen hiçbir şey görmek istemiyorum. Benim işim mi sana yeni gerçekler bulmak?

— Dün dün ile gitti cancağızım. Şimdi yeni şeyler söylemek lâzım.

— Söyle şimdi nedir hayat? Ölmek isteyen bir şeyden sürekli ayrılma.

— Peki, vazgeçeceklerim bu kadar mı?

— Elbette hayır. Ne yapar vazgeçen? Daha yüksek bir âleme erişmek için çabalar, daha ileri, daha uzağa, daha yükseğe uçmak ister. Uçuşunu ağırlaştıran birçok şeyi atar üstünden. Fedakârlıktır atmak. Sanki kıldan bir gömleğin ruhuymuşcasına sıyrıl, arın. Bu işe en iyi yanına zarar vermekle başla.

— Nasıl, neyle?

— Nefsinin gölgesini yırt. Ruhunun suyundan iç. Sarhoş ol. Öyle sarhoş ol ki daldığın yollarda kollarını, bacaklarını kır.

Şeytan, hayatınızı kolaylaştırıp, ömrünüzü uzatıyorum diye herkesi kandıran, boş vakitlerin tapınak şövalyesi... Herkesi dumansız ateşine çağıran ihtişamlı cüce. Ateşli kelimelerin şehvetli oyuncusu. İnsana emanet edilmiş olan cennet hayalini kıskanan ihtiraslı yılan. Aşkı bir türlü okuyamayan kör deccal.

Bizi çekemeyenler, gıybetimizi yapanlar işte bu şeytanın emzirdiği insanlardır Mevlâna'm. Biz şeytanın ve şeytanlaşan insanların hararetli dedikodusu ve debelenmesine aldırmadan aşk için aşk içinde güzel, hülyalı, imanlı, itinalı sohbetler yapıyoruz. Allah'a aşk ediyoruz, şükrediyoruz aşkın sahibine.

*Sabit sandığın dağların bulutlar gibi
geçtiğini görürsün (Neml/ 88)*

Halvetlerde Mevlâna'yı ruhun miracına hazırlamam gerekiyordu. Dört duvar arasındaki bedenimiz yerinde duradursun. Mevlâna'yı maveraya götürürken dayanması, ruhen hazır olması için tasavvufun kitabi yönünü değil "hakkal yakin" mertebesini yaşamalıydı. Hz. Ayşe annemiz ne diyordu: "Hz. Muhammed Kudüs'e yatağından kalkıp miraca yükselip döndüğünde yatağı hâlâ sıcacıktı." Bedenin kalkıp ruhun yolculuğa aktığı bu...

Halvetlerdeki miraca hazırlık tamam olunca Mevlâna ile alemi dolaşıyorduk. Herkes bizi hücrede sanıyordu. Oysa biz onları arştan seyrediyorduk.

Bir gece Mevlâna ile ortadan kaybolduk. Kira Hatun medresenin her yanını aradığı hâlde bizden hiçbir iz yoktu. Üstelik tüm kapılar da kapalıydı. Kira Hatun daha sonra olayı oğlu Sultan Veled'e şöyle anlatıyor: "Odalarından üç gündür çıkmayan Mevlâna ve Tebrizliyi merak ettim, üstelik o gün visal oruçlarının iftar akşamı idi. Siniye yemekleri hazırlayıp Kimya ile odaya taşıdık. Kapıyı çaldık. Ses yok. Kimya bir kez daha çaldı, bir kez daha. Hiç cevap yok. Siniyi kapı önüne bırakıp kulağımı kapıya dayayarak içeriyi dinlemek istedim. Uğultu sesinden ve açık arazide esen rüzgâra benzer sesten başka ses duymadım. "Kızım, baban ve Şems galiba odada değiller ama nereye gittiler acaba?" diyerek oradan ayrıldık. O gece geç vakitte uyudum.

Tam uykuya dalmıştım ki Mevlâna'nın teheccüd namazı kıldığını gördüm. Namazını bitirinceye kadar bir şey söylemedim. Namazı bittikten sonra bir de baktım ki ayakları toz içinde. Ayak parmaklarının arasında da renkli kumlar olduğunu gördüm. Tam bir korku içinde bu hali kendisine sordum. Bana şu cevabı verdi: "Kâbe'de daima bizim sevgimizden söz eden gönül sahibi bir derviş vardı. Bir süre onunla görüşmeye gittik. Bu da Hicaz kumudur, onu sakla, kimseye söyleme." O geceden sonra Şems'e buğzetmem sona erdi ve halvetleri ile ne derin bir insan olduğunu anladım. Ertesi gün olup biteni oğluma anlattığımda, Sultan Veled:

— Anneciğim! Görüp işittiklerini anlatma, bizi bilmeyenler, Kira Hatun'u da cin çarpmış, Tebrizli onu da büyülemiş, diye seninle alay ederler. Babam ve Pirimizin böyle seyahatleri yeni değil.

— Tamam oğlum. Zaten geçtiğimiz günlerde babanın kapı altından bana sunduğu Hint çiçeğini çarşıdaki aktara sorduğumda aldığım cevaptan bu yana hayretler içerisindeyim.

— Anlatsana nedir bu Hint çiçeği meselesi?

Bir gün Mevlâna, Tebrizli ile halvet için içeri kapatmışlardı kendilerini. Bunlar günlerce yemeden, içmeden, dışarı çıkmadan ne yapıyorlar ki diye içimde biraz merak biraz da vesvese ile kapı deliğinden içeriyi gözetliyordum. Baktım ki Mevlâna Şems'in dizine dayanmıştı. Ben de aralarında ne geçiyor, diye odanın kapısına kulağımı koymuştum. Birdenbire evin duvarının açıldığını, gayb âlemine mensup altı heybetli adamın içeri girip selam verdiklerini, yeri öptüklerini ve bir deste çiçeği de Mevlâna'nın önüne koyduklarını gördüm. Tam bir huzur içinde yaklaşık öğle namazına kadar oturdular. Öyle ki, hiçbir kelime konuşmadılar. Öğle namazı kılındıktan sonra o altı ulu kişi büyük bir saygı ve ikramla kalkıp tekrar geldikleri duvardan gittiler. Ben de olayın heybetinden kendimden geçmiştim. Kapının önünde ayaklarım titreyerek kalakaldım. Benim kapı önünde beklediğimi fark etmişler olsa gerek, birazdan kapının altından daha önce hiç görmediğim bir çiçek uzatıldı. Kapı arkasından Şems'in sesi geldi: "Bacım bu çiçek çok çok uzaklardan Mevlâna'ya hediye getirildi. O da bu hediyeyi sana layık gördü." Ben o çiçeği alıp aktar dükkânlarına götürdüm. Ne cins bir çiçek olduğunu, nereden geldiğini ve adının ne olduğunu merak ediyordum. Tüm aktarlar, o çiçeğin tazeliğinden ve kokusundan şaşa kaldılar, "Kış ortasında bu nadide çiçek nereden geldi? Bu güzel çiçek sadece Hindistan kutuplarında yetişir, oradan buraya gelene kadar da solar. Hayret edilecek bir olay, bunu bize satar mısın?", dediler.

Hizmetçim de, ben de duyduklarımıza inanamadık. Artık inanıyorum ki baban ve Şems girdikleri odadan âlemi seyre çıkıyorlar.

— İşte anneciğim artık babam için Şems'in ne kadar değerli olduğunu anlamışsındır. Şems ailemize bir armağandır. İnanıyorum ki gün geçtikçe onu tanıyan onda huzura erecektir.

Aşk yolunun ilk durağı halvet ile haldeş olmaktır. Halvete çekildiğimiz zaman, ne yapıyorlar, diye merak eden bizi kapının deliğinden gözetleyerek göz kulak olduğunu söyleyen Mevlâna'nın hanımı Kira Hatun, bizi merak eden ev halkına ve müritlere: Saatlerce ağızlarından tek kelime çıkmadan sustuğumuzu söyler. Bu halimizi başta garipseyenler bilsinler ki asıl olan dilsiz dudaksız gönülden gönüle giden yolda akıp giden bir konuşma aşkın lisanıdır.. Gönüllerin birbirlerine seslenmesidir. Mevlâna, dilsiz, dudaksız, gönülden gönüle konuşma üzerinde halvetin bitiminde şöyle dedi:

— Sen susmadıkça düşünce bir şey söyleyebilir mi? Düşünceyi ancak konuşarak belirtirsin, sen sustuğun zaman düşünce içinde hapsolur kalır; ama gönül ağız açınca, dil konuşmaz olur susar. Sustum. Aynı cümleyi bir kez daha tekrarlayınca dayanamadım ve:

— Aklını başına al sus! Çünkü nefis ile gönül ateşi alevleniyor, şu anda yükselen alevler, nefes almaya başladı. Sen ne buyuruyorsun? Konuşarak alevleri artırmak mı istiyorsun? Onların susmaları kimi zaman ateşe su, kimi zaman ateşe rüzgâr olmuştur. Sustu. Suskunluğumuz öyle bir hal aldı ki soluğumuzun sesi hücreden avluya ulaşıyor, avluda yankı bulup tekrar hücreye giriyordu.

Halvetten çıktığımızda dervişlerin şaşkın bakışları homurtulu seslerine karışıyordu. Şok olmuşlardı. Herkes birbirine bakışları ile "Neler oluyor?" diye soruyordu. Ne Mevlâna'ya ne de bana soracak halleri, cesaretleri kalmıştı. Sanki başlarına helâk taşları düşmüş, sayha sesinde kulakları patlamışçasına afallamışlardı.

— Şimdi sen ailenle ilgilen. Ben avluda biraz oturacağım.

— Hava soğuk ve üzerinde de ince feracenden başka da kıyafet yok. Sana elbise göndereyim.

— Yakacak olan üşümez. Sen çoluk çocuğunla eğleş. Öğle namazına yetiş.

Gel bakalım ateşle nasıl oynanır göstereyim.
Gör bakalım ateş mi seni yakar, sen mi ateşi?

Mevlâna ailesi ile birlikte yemeğe beni davet ettiğinde gözlerimle hayır dedim. O ailesi ile yemekte iken avluda bağdaş kurup oturuyor, etrafa göz gezdiriyordum. Avlunun kıble tarafındaki mutfak kapısının önünde ilginç halleri ile bir adam dikkatimi çekti. Avlu ile mutfak arasında ışık hızı ile alel acele gidip gelen kimse ile bir kelime konuşmayan bu adam sanki benimle seneler önce tanışmışız gibi bakıyordu. Oradaki dervişlerden birisine:

— Kim bu garip dedim.

Derviş:

— Biz ona Ateşbaz deriz. Mevlâna'nın meşhur talebelerinden ve dervişlerindendir. Esas ismi: Yusuf bin İzzeddîndir. Mevlâna Efendimizin hizmetinde bulunmak için gayret göstererek aşk ve samimiyetinden dolayı Mevlâna'nın yareni olmuştur. Mevlâna'ya ve dergâhta dervişlere yemek pişirmek için gönüllü olmuş, bu isteği Mevlâna tarafından kabul edilmiştir.

— Eeee devam et bakalım. Niçin Ateşbaz namı olmuş?

— Yusuf bir gün yemek pişireceği esnada depoda hiç odun kalmadığını görür. Yemek vakti de yaklaşmış olup, odun temin etmek çok zaman alacaktı. Mahcup bir hâlde Mevlâna Hazretlerinin huzuruna varır ve "Efendim mutfakta hiç odun kalmamış ne yapayım?" diye sorar. Mevlâna'nın nükteli: "Kazanın altına ayaklarını sokarak kazanı kaynat!" demesi üzerine, Yusuf Efendi derhâl mutfağa girer ve söyleneni aynen yapar. Ayak parmaklarından çıkan ateşle aşı pişirir. Ancak Mevlâna Hazretleri bunu duyunca kerametin açıklanmasını uygun bulmayarak; "Hay Ateşbaz hay!" der. Böylece Yusuf bin İzzeddin bu olaydan sonra ateşle oynayan mânasına gelen "Ateşbaz" unvanıyla anılmaya başladı.

— Ateşbaz nereden geldi, ne zamandan bu yana Mevlâna'nın refakatindedir, diye sordum.

— Ateşbaz'ın doğum yeri ve tarihini ne kendisi ne de bizlerden kimse biliyor. Söylenildiğine göre çocukluğu ve gençliği Larende'de geçmiştir. Mevlâna Efendimizin babasının eteğini öperek kendilerine katılmak için istekte bulunmuştur. Bahaeddin Veled'in:

— Dergâhımızda ne yapmak istersin, elinden bir iş gelir mi? sorusuna,

— Siz gönüllerimizi doyuran Pirimizin ve yarenlerinin midelerini doyurmak için yemeklerinizi pişirmek isterim der. Mevlâna Hazretlerinin babası Bahaeddîn Veled vefat ettiğinde *matbah*tan günlerce çıkmadan ağlamıştır. Bunu duyan Mevlâna yanına giderek sırtını okşamış: Bizleri o lezzetli sofrandan mahrum mu edeceksin kardeşim? Gel yaren soframız gönüldaşımızla şenlensin, diyerek ailesinden bir candaş olarak onu taltif etmiştir. Kendisini Mevlâna Hazretleri çok sevdiği için dergâhtan hiç çıkmak istemediğinden, ona dergâhın aşçılığı verildi.

— Çağır yanıma da Mevlâna'dan ne almış neler almamış bir öğrenelim.

Dervişler Ateşbaz'ı yanıma getirdiler.

— Ateşbaz abdestli misin?

— Abdestsiz yere basmam.

— Bana abdest suyu getir soğuk olsun, dedim gitti ve bir ıbrık ile geldi. Dökmeye başladığında suyun kaynar olduğunu hissettim, neredeyse elimi haşlayacaktı.

Yüksek sesle:

— Ne yapıyorsun be şaşkın sana su soğuk olsun diye tembih etmedim mi? Elimi yakmaya mı niyetlisin?

— Estağfurullah, özellikle sebilden doldurdum buz gibi sudur.

— Ne yani ben yalancı mıyım, diye çıkıştım ve dervişlerden iki tanesini çağırdım.

İbrikten su dökün birbirinizin eline. Dediğim üzere yaptılar. Her ikisine de;

— Su nasıldı?

— Buz gibi keskin... Parmak uçlarımız donacaktı.

Ateşbaz hayretle olup bitenleri seyrederken yüzü mahcubiyetten nar kızılı halinde terliyordu. Dervişlere uzaklaşmalarını söyledikten sonra;

— Söyle! Ateşin oynaşı âlimlerin namazı ile âşıkların namazı arasındaki fark nedir?

— Halkı aydınlatan, yol gösteren âlimlerin namazı, beş vakittir. Fakat âşıklar devamlı namaz içindedir.

— Hiç tövbe atına bindin mi?

— Tövbe bineği ne acayip binektir. Bir lâhzada sahibini zemininden semalara eriştirir.

Dedim ki ateşle oynaşan garibe:

— Beni ateşine götür. Birlikte mutfaktaki ocağın yanına geldik. Ateşle oynayışını görmek isterim, dediğimde birden ocağın içine doğru eğildi. Alevler yüzünde yalazlandı. Sakalında kızıla çalan gölgeler oynaştı. Eski bir pırıltının izi okundu gözlerinde.

"Aşk" diye tekrarladım, "Aşk ateşte yanmaktır."

Alev onayladı, meşe odununun beline hırçın dilini uzattı, odun kavradı, geri çekildi. Alevin ilk hamlesine engel olan su, "cısıldadı" kora düştü, buhar oldu. İkinci defasında odunun gövdesi kızardı, duman oldu gözenekleri. Ağlamaya başladı.

— Gördüklerini başkalarına anlatacak mısın?

— Üç kelime söyledim sadece.

Gözlerime baktı.

— Üç kelime mi? Hayır, geldiğin dünyayı anlattın. O dünyanın içinden konuştun. Çok uzun konuştun. Yorucu konuştun. Fısıldarken haykırdın. Kelimeler etinden bir parça değildi. 'Aşk ateşte yanmaktır,' derken ölüm vakti burada oluşunu delil gösterdin. Parmağımı dudağına dokundurdum:

— Her zamanki üzere halinle konuş hâldeşinle konuş, eğer ateşle aşkın oynayışına şahit olmasaydım bugün dergâhtan gönderilecektin. Aferin, sınavımdan geçtin. Artık senin çorbalarını içebilirim. Benim odama üç günde bir akşam ezanları okunduktan sonra çorba ve kuru bir dilim ekmek getireceksin, başka hiçbir aş istemiyorum.

Mutfaktan çıktığımda kapının önünde Mevlânâ ile karşılaştım. Meraklı bakışlarla bakıyordu.

— Senden önce etrafındakiler sınavı hak ediyor, sabret, sıra sana da gelecek. Ateşbaz sınavını geçti. Hiç dikenlerden üzüm, devedikenlerinden incir toplanır mı? Ateşbaz ateşi çoktan içmiş. Haydi, namaza geçelim, dedim.

Mevlâna'nın yakınlarını ve yakınındakileri sınav etmemdeki amacımı merak ediyorsunuz değil mi? Bir nuru parlatmanız için etrafındakilerin karanlık duvar mı, sağır bir perde mi olduğunu bilmeden rüzgârınızı üfleyemezsiniz.

Bir gün Mevlâna, hane halkına benim büyüklüğümden, Allah'a olan yakınlığımdan uzun uzadıya bahsetmiş, hürmette kusur etmemelerini, ara sıra gidip gönlümü almalarını tembih etmişti. Bu sözler üzerine oğlu Sultan Veled, hücreme gelerek elimi öpmüş, hizmetimde bulunmuştu. Ansızın yapılan bu ziyarete bir mâna veremeyerek:

— Veled ne oldu sana böyle? Fazla lütufta bulunuyor, gönlümü almak için sevgiler gösteriyorsun, demiştim.

— Efendim, babam büyüklüğünüz hakkında o kadar söz söyledi ki hepimiz deli olduk. Eğer bin sene ömrüm olsa ve başımın üzerinde döne döne size kulluk etsem ve hizmetlerimin hepsi de kabul edilse, yine bu muhlis kulunuzun kalbinde lâyıkıyla hizmet edememekten dolayı bir ukde kalır.

— Mevlâna teveccüh buyurmuşlar. Yüz binlerce benim gibi Şems-i Tebrizî, onun büyüklük burcunda bir zerreden başka bir şey değildir. Ben mükâşefelere nail olduğum, sülük padişahlarını seyrettiğim, ilahî nurlara yakınlaştığım, birçok Hak erleriyle düşüp kalktığım, gayb âlemlerini gördüğüm hâlde, Mevlâna'ya ulaşamadım. Artık, onun hakikatine kim erişebilir?

— Baban bir okyanus, sakın onun suyunun çekilmesine müsaade etme evlat. Kardeşin Alâeddin'i gözet. O senin kadar mülâyim değil, Mevlâna'yı hırpalayacak. Yanlış kişilerle beraber oluyor. Siyaset denen şeytanın suyuna dalmış, aklı başından gitmiş. Delikanlılığının patavatsızlığı ile sert bir kayaya toslayıp toz olacak.

And olsun ki senin yüzünü görmek bizim için mutluluktur. Hz. Muhammed'i görmek isteyen kolayca gitsin, Mevlâna'yı görsün. Rüzgârla dalgalanan çimenler gibi kendini zorlamadan onun önünde eğilsin. Bunun aksine davranmak isteyen de dilediği gibi yaşar.

Mevlâna'yı bulana ne mutludur. Ben kimim... Ben bir kere buldum, ben de mutluyum. Eğer inancın varsa kuşkularını gider.

Mevlâna'dan başka hiç kimse ile konuşmayayım, yalnızca Mevlâna ile sohbet edeyim. Şimdi gel de kulağına söyleyeyim. Ben bir iş yapmak istiyorum; ama Allah engel olursa beni dinlemez. Bizi gören kimse ya Müslümanın Müslümanı ya da zındığın zındığı olur. Çünkü bizim mânamıza erememiş olanlar ancak dış yüzünü görürler ibadetlerimizde dış görünüş bakımından eksiklik bulurlar. Çünkü onun himmeti yücedir, bu ibadete de ihtiyacı kalmamıştır sanırlar. Âlemlerin gerçekten bağlılık sebebi olan ibadetten uzaklaşırlar.

CELÂLEDDİN'DEN
MEVLÂNALIĞA DOĞRU

Âlimken arif oldun, peki âşık olmaya namzet misin?
Sen ozan da değilsin. Ozan halktan aldığını halka verir.
Aşık Hak'tan aldığını halka sunar.

İnsanlar en çok şunu merak ediyorlar: Nasıl oluyor da kırk yıllık birikimine rağmen Celâleddin kalan bir insan kırk günde Mevlâna'laştı? Şems kırk günde ne yaptı, ne etti de senelerdir ham olan pişti? İşte işin sırrı halvetlerimizdedir. Bilge bir insanı ilahi aşka götürmenin yolunu ehli bilir. Bunu başaracak olan sadece bendim. Mevlâna'yı olduğu gibi gören de tek bendim.

Cehennemi görmeden, cenneti bilebilir mi insan? Aceleci insan her yerde her yönden cehenneme koşuyor. Hız... Hız bir sırdır. Kanın hızı ve ateşin hızı, nurun hızına yetişemiyor. *Nur*la kaplı yürek anlar, kim melek, kim iblis. Her yanımız alev alev. Hiç kimse yandığının farkında değil. Onu halvetimle yakacak alevlerim vardı.

Halvetin etkisini merak ediyorsunuz öyle değil mi? Halvete ermek için yan yana gelmek gerekiyor. Birlikte olmak, saf tutmak. O andan itibaren cennete bağlanmak. Hayatındaki bütün öncelikleri bir kenara atıp, bizim can bilgilerimizi paylaşmamız iblisin çocuklarına karşı neler yapabileceğimizi konuşmamız gerekiyor.

Kalbin anlamını bulmak için bedenimizi kaybetsek bile kalbimizin yardımı zihnimizin temiz kalmasına yetiyor. Hepimizin zihni dünyaya gelmezden önce cennete akan bir ırmaktı. İlahi aşk yalnızca bize, kalbe emanet edilmiştir.

Dünya hayatı bir an bile değildir. Sükûnet içinde, taş avluda, şadırvanın su sesiyle, güneşin gezindiği yüzünde, Allah'ı görmüşcesine gülümseyerek, toprağa değdirirken alnını, tam o sırada işte hafif bir rüzgâr eser. Gül kokusu yayılır avluya. Ve sen kendini Mescid-i Nebevi'de, Ravza'da Peygamberimizle birlikte namaz kılıyor gibi hissedersin.

Dünya hayatı biter o zaman. Zaman, mekân, insan kalmaz. O ilk halin içinde uyanırsın Rabbinin huzurunda. Bütün sırlar açılır sana. Sen kendin bir sır olur, dönersin dünyaya.

İlahi aşkın sahibi izin verdi bu sevgi için. Biz dedim, ikimiz, yan yana gelmek için, senin için, Allah'ım senin için, Sidretül Münteha'yı geçemezdik. Yanardık... Melek gibi olurduk ama sana yaklaşamazdık. Şimdi yine dünyadayız. Günlük hayatın içinde; ama sana en yakın halin içindeyiz. Halvetteyiz. Namazlarımızla, secdelerimizle. Tevbemizle. Kapatıyoruz artık dünyaya kapılarımızı.

Halvetteyiz yine. Kapatmışız kapıları, kalplerimizi açmışız aşk miracının pencerelerine. Kim çalsa o kapıyı açmıyoruz. Yokuz biz diyoruz, yokuz. Vardık bir zamanlar; ama şimdi yokuz. Mevlâna yok, yok Şems. Hiç kimse yok içerde. Kalbimizden çıktık şu an. Ve yükseliyoruz *mirac*a. O yüksek gökte, Peygamber efendimizin kokusu ve nuru... Sırların sırrı... Açılıyor göklerin kapısı. Geçiyoruz hâlden hale. Kelimeler denizindeyiz. Eğiliyor harfler. Başta "elif" ardından "nun" ve diğerleri. Yol oluyor bize kelimeler. Mevlâna sus pus. Sonrası yok bir zamandayız. Yok olan hiçbir şey yok. Allah var sadece. Ne zaman bir şey oldu ki dünyada. Sadece göz yanıldı hep. Akıl her şeyi bilebileceğini sandı. Bilemedi. Kendini bilemedi. Şimdi yeniden kalbin içindeyiz.

— Aşkın yaşanabilmesi mümkün mü ölümü göze almadan?

— Aşk ve ölüm aslında tek bir kelime değil mi?

— Bekledikleri kelime ne olabilir ki o zaman, hangi kelimedir bunca hasretle beklenen?

— Ölüm ve aşk. İç içe iki kelime. Allah'a yolculuk için işte sır burada. Kalbin içinde ve Nur-u Muhammed ile.

Ey nurlar içinde kalan ilk söz. Seni gördük işte "sema"da. Seni görene kadar konuştuğumuz tüm sözler boşunaymış. Anladık bunu. Yeniledik kalbimizi. Nur içinde kaldı yüzümüz. Birbirimize bakınca "O"nu gördük kalplerimizde. Sırrın ışığını... Sesini. Sözünü. Kulağımızda şu hediye ile indik Konya'ya.

"Yeryüzü. Gökyüzü. Miraç. Nur. Sır. Aşk."

"Allah'ın yetmiş nur perdesi vardır; eğer onları kaldıracak olsaydı, yüzünün mehabeti O'nun yarattıklarının gözünün algıladığı her şeyi yakıp kavururdu. Yetmiş kapıyı açan tek anahtar: Aşk…"

Sübhaneke, diyorum. Dedim ki, Sübhaneke'nin anlamı şudur: Eğer kalbin güzelliğe meylediyorsa, O, "Kusursuz güzellik burada" diyor. Eğer mala mülke gidiyorsa, O, "Mükemmel zenginlik burada" diyor. Eğer makama meylediyorsa O, "En güzel makam burada" diyor. Eğer Semâ'a ve diğer diğer insanların konuşmasına eğilimi varsa, "Kusursuz rahmet ve lütuf burada." Ve bütün sıfatlar böyledir ki O "Ben koruyup gözetenim" diyor; yani, bir tavuk civcivlerini, Benim dostlarımı kanatlarımın altına aldığım gibi alıp koruyup gözetemez. Bütün bunlar, umudu kesip, "Allah beni sevmiyor. O, kendi güzelliğinin tadına beni mahrem etmez" demeyesiniz, diyedir. Allah'tan gelecek tatlılığı başka herhangi bir müşfik kanattan bulamazsınız.

Sübhâneke. "Sevdiğiniz ve aradığınız hiçbir şey kusursuz değildir" diyor, Allah. Yüce Allah, saf ve kusursuz olan *Ben* olduğuma göre, buraya boşaltın sevgiyi diyor.

Her an İsa'nın ateşli koşusuna, Musa'nın vecdine ve Muhammed'in kesinliğine (salât ü selam üzerlerine olsun), velilerin keşf ve sebatına, sevgililerin güzelliği ile birlikte âşıkların tatlı mutluluğuna sahip olurum.

Görünen âlemin mutlulukları görünmeyen âlemin mutluluklarından yenilenir. Görünmeyen âlem Allah'ın sıfatlarından yenilenme alır. O hâlde, adı "cennet" olan ebedî bahçeye açılan kapılar Allah'ın sıfatlarıdır ve dünyadaki her türlü mutlulukta, bir kapı açılır; öyle ki O ona neşe verir ve onu geliştirir. Şimdi gel, Allah'ın sıfatlarının bu kapılarına kendimizi sunalım ve o cennete girelim; öyle ki artık dünyayı hatırlayamaz olalım; ama Allah'ı hatırlayıp analım ve O'na ait olalım.

Allah'ı zikrediyordum. Şöyle dedim: "Allah beni sevmediği sürece ben Allah'ı nasıl sevebilirim?" Tek taraflı aşk imkânsızdır. Bir elin sesi olmaz. Aynı şekilde cennet hurilerinin oranın sakinlerine karşı duyduğu temayül de Allah'ın sevgisidir. Öyle ki sanki kucaklamayı yapan Allah'tır; tıpkı, iki suret birbirini kucaklarken olduğu gibi, iki ruhun aşkıdır bu. Ama ruhun gerçekliği ve suretin anlamı düzeyinde kucaklama, diye bir şey olamaz.

Birçok sufi Kur'an'ı sevgililerinden gelen bir aşk mektubu gibi okumuştur; bu bakımdan, her ne kadar bazen sevgili onların kalplerini uyarmak için acı sözler söylese de, onlar bunu en iyimser bir tarzda yorumlamışlardır.

Dine sırf Allah emrettiği için veya cezadan kurtulmak istediğiniz ya da cennete girmek istediğiniz için uymak, doğru mudur? Hayır. Tıpkı Allah'ın etkinliği insanlara olan sevgisiyle motive edildiği gibi, insani davranış da Allah aşkıyla motive edilmelidir.

Ey Mevlâna'm ben konuşayım sen dinle, ben susayım sen aşka gel. Aşk-ı halvet için önce Adem babamızdan başlayalım:

— Allah Âdem'e, cennetten ayrılması gerektiğini izah etmek istediği zaman ona şöyle hitap etti:

"Senin var oluş kadehinde mücevherler ve simsiyah taşlar parlıyor. Tabiatın deryasında inciler ve saksı kırıkları gizlidir. Bize gelince, bizim iki yurdumuz vardır. Birinde güzel zevklerin ziyafet sofrasını yaydık ve orayı Rıdvan'a (melek) emanet ettik. Diğerinde ise gazap ateşini tutuşturduk ve orayı da Mâlik'e (melek) emanet ettik. Eğer senin bahçede kalmana müsaade etseydik, kahır sıfatımız tatmin olmazdı. Öyleyse, terk et burayı ve keder külhanına ve uzaklık potasına in. Senin kalbinde gizli olan emanetleri, sanatları, incileri ve görevleri sonra açığa çıkaracağız."

Allah'ın lütuf ve kahrı Âdem'in iki boyutunda yansır, yani "ruh" ve "çamur"da. Çamurun kahrı olmasaydı, Âdem insan değil, melek olurdu ve yeryüzünde asla Allah'ın halifesi olmazdı.

Eğer sadece ruh olsaydı, Âdem'in günleri kusurlardan arınır ve yaptığı işler de karmakarışık olmazdı;ama nezih işler bu dünyaya uygun değildir ve daha işin başında o bu dünya halifeliği için yaratılmıştır, dedim. Mevlâna:

— Eğer Âdem cennette kalmış olsaydı halife olamaz mıydı?

— Âdem cennetten bu dünyaya sürçmesinden dolayı getirilmedi. Sürçmemiş olduğunu düşünsek bile, o yine de bu dünyaya getirilecekti. Bu gelişin nedeni halifelik elinin ve hükümdarlık halısının onun ayaklarının gelişini beklemekte olmasıdır. İbn Abbas, "Allah onu, daha cennete koymadan önce çıkarmıştı" demiştir.

Âdem'in birinci ve ikinci diye, iki var oluşu vardır. Birinci var oluş cennete değil, bu dünyaya aittir; ikincisi ise cennete aittir. "Ey Adem, çık cennetten, gir bu dünyaya. Tacını, kemerini, sarığını aşk yolunda kaybet! Dert çek, belalara uğra. Yarın biz seni bu değerli yurda, yüz bin lütuf elbisesi ve her türlü lütuf elbisesi ve her türlü şerefle, seçilmişlik kaynağı ve saflığın sahipleri olan yüz yirmi bin küsur peygamberin huzurunda, şahitlerin önderi olarak tekrar getireceğiz. Sonra yaratıklar bilecekler ki, Âdem'in suretini kahır sıfatıyla cennetten nasıl çıkardıysak, lütuf sıfatıyla da tekrar getiririz."

Yarın, Âdem çocuklarıyla birlikte cennete girecek. Kalabalıktan dolayı cennetin her bir köşesinden bir çığlık yükselecek. Melekût âleminin melekleri hayretle bakacak ve "Birkaç gün önce cennetten sersefil kovulan adam değil mi bu?" diyecekler.

"Âdem, seni cennetten getirmek bu işin üzerine bir perde ve sırlara bir örtü idi; çünkü senin iyi talihli nesillerin nübüvvetin yüz yirmi bin küsur incisinin okyanusu idi. Biraz sıkıntı çek, sonra birkaç gün içinde, hazineye kavuş!"

Allah aşkı, O'nun bütün isimlerine cevap verir. Melekler aşktan mahrumdur; çünkü onlar gazap, kahır ve uzaklığı tadamazlar; keza hayvanlar da aşktan uzaktır; çünkü güzellik, incelik ve yakınlığı tecrübe edemezler. İnsanlar hem yakınlık hem uzaklıktan, hem lütuf hem de kahırdan dokunmuşlardır. Tüm zıt ilahî sıfatlar onlarda bir araya gelmiştir. Kendisinde bütün zıtların birleştiği Allah'ı yalnız onlar sevebilir. "On sekiz bin âlem içinde, onlar O'nu sever ahdiyle dolu olan kadehi insanlardan başka hiç kimse içmemiştir."

— Âdem Allah'ın teşvikiyle, Allah'a itaatsizlik etti; zira Allah biliyordu ki itaatsizlik olmadan Âdem kendisinden bir âşık olmasını sağlayacak uzaklık sıfatlarını kavrayamazdı. Aşkın özü gam ve özlemdir.

— Yusuf'u çirkin bir fiil işlemekten koruyan Rab, Âdem'i

de meyveyi tatmaktan koruyabilirdi; ama dünyanın kargaşa, keder ve bela ile dolması gerekiyorduysa, ne yapabilirdi?

— Allah emaneti göklere, yere ve dağlara arz edince, hepsi de reddetti: Çünkü aşkın sırrını bilmiyorlardı; ama Âdem yalnız Sevgilisini düşündü. Bu yüzden, emanet bütün yaratıkların korktuğu ağır bir yük olmasına rağmen, Âdem kendi yetersizliğine bakmaktan rahatsız olmadı.

— Mevlâna'm, biliyor musun âşıkların alâmeti özlemdir (himmet). Onlar yalnız *sevgili*yi arzularlar. Ona kavuşmak içini yaratılmış âlemdeki her şeyden, hatta cennetten bile, gözlerini çevirmek durumundadırlar.

— Âdem'in içinde özlem vardı. Kendi özlemiyle alıp veriyordu. İnsanlar ne zaman bir şeye erişirse, özlemle erişirler. Değilse, herhangi bir şeye fıtratlarında bulunan şeyle asla erişemezler.

— O hâlde Âdem'i büyük kılan şey, emanet yükünü taşımış olması olgusudur ki bu da Allah sevgisidir. Sevginin sırrını yalnız o bildi; zira sevgi onun var oluşunun altında yatan sebepti. Biliyordu ki sevgisi ancak ayrılık acısını tattığında beslenip güçlenebilirdi. Bu yüzden yasak meyveyi yedi.

— Tebrizli dostum Âdem babamızı anlamayanlar âlemi neden kan günahına çevirdiler?

— Onlar ümit güneşine gözleri kapalı baktıklarından bu hale düştüler.

— Kim kapattı insanların gözlerini?

— Umut haramileri.

— Nasıl?

— Ey nefislerine karşı aşırı giden kullarım. Allah'ın rahmetinden umut kesmeyin; şüphesiz Allah tüm günahları bağışlayacaktır (*Zümer, 53*).

Rivayet edildiğine göre, birisi bu âyeti Rasulullah'ın huzurunda okudu. Okuyan, şüphesiz Allah tüm günahları bağışlayacaktır kısmına geldiğinde, Hz. Peygamber, "Gerçekten bağışlayacak, önemsemez" dedi, Sonra üç defa, "Allah soğutanları lânetler" dedi, yani halkı Allah'ın rahmetinden umutsuzluğa düşürenleri.

Rivayet edildiğine göre Hz. Musa şöyle demiştir: "Allah'ım, kullarından isyan dilersin; ama isyanı sevmezsin." Allah, "Affımı gerçekleştirmek için", diye cevap verdi.

— İnsanlara bahşedilmiş bütün şeref ve yüceliğe rağmen, Allah niçin onların isyanla denenmelerine hükmetti?" diye sorarsa, ne olacak?

— Mevlâna'm sorunun birçok cevabı vardır. Birincisi, bundaki hikmetin kulun gurura kapılmaması olduğunu söyleyebilirsiniz; çünkü gurur perdeyi davet eder. Belâm'ın, Allah'ın en büyük ismiyle övününce, bir köpeğe dönüştüğünü görmüyor musunuz? O hâlde onun durumu şu köpeğin durumuna benzer (A'râf 176).

O, nüfuz ve kalbin efendisi idi; ama gururlanmakla bir köpekten daha pis hale geldi.

Başka bir cevap: Cam ustasının zekâ, beceri ve mahareti kırık camda ortaya çıkar. Kalbin cam gibidir. İsyan taşı ona çarptı ve kırdı. Rabbü'l-İzzet, nedamet ateşiyle, onu tekrar birleştirir. Doğrusu Ben tövbe edene karşı Gaffarım (Taha 82). Gerçi O, Musa'ya, onun heybetli durumunda, gerçekten Ben Allah'ım (Taha 14) demiş olsa da, bize, "Doğrusu Ben Gaffarım", dedi.

Başka bir cevap şudur: Allah'ın iki ambarı var; biri mükâfat dolu, diğeri af ve rahmet dolu. "Eğer Bana itaat ederseniz, ödüller ve bol armağanlar alırsınız; ama Bana isyan ederseniz merhamet ve af bulursunuz. Böylece Benim ambarım boşa gitmez."

— Allah, "Ben onların hepsini bağışlayacağım" diyor. "Onları bağışlayacağım" dedi. O; "Onları bağışladım" demedi. Kul yalvarmak, yakarmak, korku ve umuttan geri durmasın, diye. Kul korku ile umut arasında kalmalı; sürekli yalvarıp yakararak; feryat, figan ve münâcaatta bulunarak. Hepiniz Allah'a dönün! (Nur 31). Doğrusu Allah bütün günahları bağışlayacaktır (Zümer, 53). "Hepiniz Bana gelirsiniz; çünkü hepinizi satın alacağım."...

Ey kullarım! Hangi kullar? "İtaat edenler" değil, "karşılık verenler" değil, "namaz kılanlar" değil, "hacca gidenler" değil, "cihat edenler" değil, "zekât verenler" değil. Peki, kimler? Aşırı olanlar, sınırı geçenler.

— Çok güzel yorumladın Mevlâna'm; şu aşırıya kaçmış olanlar. O perdeyi yırtmadı. "Zina işlediler, cinayet işlediler" demedi. Bunu kısa olarak zikretti "Şu aşırıya kaçmış olanlar." Onlar aşırıydı. O istediğine göre, O bağışlar. O, perdeyi yırtmadı.

O, ne Arş'a "Ey Levham"; ne Cennet'e "Ey Cennetim"; ne Ateş'e "Ey ateşim" dedi. Asilere, "Ey kullarım" dedi. Bu sana yeter bir övünçtür.

Kıyamet günü "bedenim, bedenim!" diyeceksin. Hz. Muhammed "ümmetim, ümmetim!", diyecek. Cennet "hissem, hissem!", diyecek. Cehennem "payım, payım!" diyecek. Rabbu'l-İzzet, "kulum, kulum!" diyecek.

BENİM MEVLÂNA'M

Aşkta yukarı veya aşağı yoktur,
Neden daha fazlasını arayayım?
Ben onunla aynıyım.

Mevlâna ile büyüklük burcunda birbirlerimize hayran, birbirlerimizi seyrediyor, karşılıklı irşadımız, kim öğrenci kim öğretmen önemsemeden günlerce devam ediyordu. Biz böyle bir hücrede, bir âlemi aydınlatır, susuz gönüllere pınarlar akıtırken, öte yandan, ruhsuz bir dünya için için kaynıyordu.

Konya halkı tarafından çok sevilen, vaazı, dersi dinlenen Mevlâna'nın böyle birden bire ortadan çekilişi, medreseyi, talebelerini terk edişi, müritlerinden yüz çevirişi, önce herkesi şaşırtmıştı, ardından yüreklerine bir korku salmıştı. Mevlâna'yı bir müddet kendi haline bırakmışlar; fakat aradan birkaç ay geçince, dedikodular başlamıştı. Mutaassıp zümre, bunca yıldır beraber oldukları Mevlâna'nın, benim gibi ne olduğu henüz lâyıkıyla bilinmeyen, hakkında birçok soru işareti açığa çıkmayan yabancı bir adama uyarak, her şeyden elini eteğini çekişine bir mâna veremiyorlardı. Mevlâna'ya karşı duydukları aşırı sevgi, onları kıskançlığa sevk etmişti:

— Bu ne haldir? Mevlâna'yı bütün eski dostlarından, yüce durağından çekip alan, kendisi ile meşgul eden bu adam kimdi? Nereden geldi, ne yapmak istiyor? diyor, hatta bazen çok ileri gidiyorlardı. Önceleri seslendiremedikleri bu fitne rüzgârlarını yavaş yavaş duyurmaya, bana lâf atıp sataşmaya kadar götürdüler.

Bir keresinde Konya sokaklarında dolaşırken birkaç adam, ceplerinden çıkardıkları parayı çocuklara vererek onları benim arkama saldılar. Çocuklar yerden topladıkları taşları atmaya niyetlendiklerinde aniden geriye döndüğümde oldukları yerde çakılı kaldılar. Manevi bir güç onlara beni nasıl gösterdi bilmiyorum ama taşları yere bırakıp elime sarıldılar. Üzüldüğüm şuydu: Nasıl oluyor da şu çocuklar kadar masum olamıyorlardı koca adamlar. Bir dükkâna girdim, iğne iplik istedim. Tüccar:

— Hangi söküğünü dikeceksin divane adam, geldin Pirimizi darmadağın, bizi delik deşik ettin. Defol git diye beni dükkânından kovdu. Dükkândan çıkarken sadece gözümün ucuyla süzdüm adamı. Dışarı çıktığımda ardımdan büyük bir gürültü ile taş binanın çökme sesi geliyordu.

Senin aşkından bir yaprak öğreninceye kadar
ilimden üç yüz yaprak unuttum.

Konya'daki herkes için ben onlarca soru işaretiydim? Kimdim? Neden Konya'daydım? Mevlâna'ya ne yaptım da sus pus ettim? Dünyasını değiştirmemdeki gücüm ne? Efsunlu bir derviş miyim? Büyü mü yaptım Mevlâna'ya? Öfkeme karşı niye çaresizdiler? Bana karşı öfkeleniyorlardı; ama ürküyorlardı da. Hem bana ön yargıları ile diş biliyorlardı, hem de beni merak etmeden duramıyorlardı. Kafalarında hakkımda soru işaretleri gün geçtikçe artıyordu. Onlarca merak sorusu içinde kıvranadursunlar... Beni anlayan vardı nasılsa. Celaleddin'i tanıyanları toplasanız bir meydanı dolduramaz; ama ben Mevlâna'laştırıp tüm âleme tanıtacağım. Sıradan memur misali yaşayan Celaleddin, tenekeler içinde kalırsa pas tutacaktı. Elması parlatarak ve" o bir cevherdir yeri bu sokaklar değil tüm dünyadır" diyecektim.Zaman lazımdı.Yavaş yavaş kıvama getirmem gerekti.Kimin ne düşündüğü, ne söylediği umurumda olmadı, olamazdı da.Mezar taşları, kör duvarlar konuşsa konuşsa ancak kuru uğultu çıkarır.ben Konya taşlarından su sızdırayım da kurak kalmasın Gülizâr yeter.

Akşamları odasında Mevlâna, Mütenebbi'nin Divanı'nı elinden düşürmüyordu.

— Şu Mütenebbi'nin kitabını okuma, ne buluyorsun bu kuru şiirlerde, dedim. Umursamadı. Ertesi akşam aynı kitabı eline almıştı. Gözümün ucuyla baktım. Bakıştık. Suratımı ekşittim. Divanı bıraktı minderin üzerine ve hanımının yanına yatmaya gitti. O gecenin sabahında kan ter içinde odama geldi:

— Kalk namaza geçeceğiz.

— Daha ezan okunmadı.

— Sabah namazı değil.

— Ya ne namazı kılacaksın?

— Korku namazı.

— Ne oldu da?

— Rüyamda Mütenebbi'nin kulağından tutarak yanıma getiriyorsun, bu adamın sözlerini mi okuyorsun, diye bağırıyorsun. Zavallı Mütenebbi "Beni bu Şems'ten kurtar, artık kitabımı karıştırma" diye titriyordu. Güldüm. Eh ben seni uyarmıştım illâ rüya âleminden tembih mi gelmesi lâzımdı?

Bir gece uyumaya hazırlanıyordum. Kapımın önünden bazı sesler duydum. Sanki birisi kapıma işleme- yahut tamir yapıyordu. Önemsemedim ve uyudum. Sabah uyandığımda kapımın önünde Mevlâna'yı uyur gördüm. Hemen kalktı. Baktım kapıda kırmızı mürekkeple "Hızır'ın maşukunun makamı" yazıyor. Yazıya üfledim. Yazı kayboldu. Dedim ki:

"Bir bakarsın altınla gümüşle aldatır beni o. Bir bakarsın şan ile makam ile aldatır beni o. Oysa makama, şana, şöhrete çoktan boş vermişiz biz."

Mahcup oldu. Elimi omzuna koydum. Sana semâyı öğreteyim mi dediğimde çok sevindi.

Ey Celaleddin! Talipsen yüreğime,
yalnızlığını adayacaksın bana.

Sadece halk değil Mevlâna da merak içindeydi olup bitenle-re karşı. Kırk yıllık yaşantısı günden güne değişmişti. Merak ettikleri vardı. Şems'in karşısında hem etkileniyor hem de içinde bazı merakları silemiyordu. Mevlâna da şaşkındı kendince. Onun da merak ettikleri vardı. Aklındakileri silmeden aşkı ateşleyemem. Sor ne soracaksan.

— İsa'nın nefesi gibi nefesin var.

— Evet, başka?

— Kimya ilminde eşin benzerin yok.

— Olabilir, başka?

— Yıldıznameleri okumakta, riyâziyat, ilahiyat, felsefi sözler, astroloji, tefsir, hadis vb. bütün ilimlerde mahirsin. Bu nasıl oluyor? Okula gitmedin, dergâhlarda ikame etmedin, mürşidin olmadı, bütün bunlara nasıl sahip oldun?

— Yürek devletimi kurdum. Yürekten maharetli mürşit mi var? Senelerce aramaktan yoruldum, meğerse aradığım bendeymiş, meğerse bulduğum sendeymiş. Hz Muhammed efendimiz okul mu okudu?

— Hayır.

— Okuma yazma biliyor muydu?

— Hayır.

— O hâlde mağarada işi neydi?

...

Anlatayım... Kuyu Yusuf'un okuluydu. Çöl İsa'nın, Musa'nın dergâhıydı. Mağara da Hz. Muhammed'in yürek okuluydu. İlim sadece kitaplardan, hocalardan mı akar? Bazen onlarca ciltli kitapların anlatamadığını bir deve anlatır. Allah Kur'an'da "Deveye bakmaz mısın?" diyor.

Peki, biz devede neleri okuyacağız... Mevlâna işte senin hamlığın burada. Kitaplara fazla müptelâsın. Kâinat kitaptır. Hz. Muhammed yürüyen kitaptır. Ağaç, ateş, su kitaplarının satırlarını da okusana.

Benzi bembeyaz oldu Mevlâna'nın.

— Bir sorum var, ama önce şu emanetleri bir daha elime almamak üzere sandığa koymam gerek. Kalktı. Pencere kenarındaki birkaç parça hikâye kitaplarını eline aldı, ceviz işlemeli sandığı açtı, kitapları öperek içine yerleştirdi. Bana doğru dönüp:

— Akli ve nakli ilimlerde bu kadar yıldızlaştıktan sonra onlardan sıyrılıp, bir kalemde silip niçin tecrit, tefrit ve tevhit âlemini seçtin?

— Bu sorunun cevabı sende. Sen de bir zamanlar babanın kitabını, F. Attar'ın hediyesini ve diğer başucu kitaplarını, vaaz etmeyi olmazsa olmazın görürken bunlardan niye vazgeçtinse, bileceksin ki; Şems, niçin tevhit âlemini seçmiş.

Bu insanları kemik yığını gördüm göreli bazen beni hayrete düşürürler. Bir gün medresenin kapısında oturuyordum. Bağdaş kurdum. Onca gölge varken kapının önündeki taşın üzerinde güneşin tam altında oturmaya başladım. Her yer mavi, yeşil, sarı ve beyazken tek siyahlık üzerimdeki feracem. Uzlet halindeyim. O anda hiç kimsenin sesinden halimin bozulmasını istemem. Tam o sırada yoldan mesleği cellâtlık olan iri yarı bir adam geçiyordu. Meraklı üç beş kişi de sağımda solumda dikiliyorlardı. Cellât meraklı kalabalığa beni kastederek:

— Bu adam velidir dedi.

Sustum.

Aynı sözü bir daha tekrar etti. Duyuyordum ama susuyordum da. İçimden "Hadi git adam işine, ayan etme hâlimizden" demek geçti. Sustum. Adam aynı cümleyi ardı ardına söyledikçe başımdaki kalabalık arttı. Baktım ki gidesi yok, uzletim bozulacak, cümlesini tekrar etmesini bekledim.

— Bu adam velidir.

Benden önce kalabalıktan birisi dayanamadı ve içindekileri kustu.

— Bu adam Mevlâna'nın cellâdıdır, dedi. Sesimi yükselterek:

— Evet, ben bir veliyim ya da deliyim. Mevlâna'yı beden zindanından, cisim kafesinden kurtardığım için veliyim, sırrı size ifşa etmeyecek kadar da deliyim, şimdi herkes işine gitsin.

Mevlâna'nın yakını kim varsa Mevlâna gibi onları da cezp ediyordum. Bir insanı çok seviyor ve iyiliğini istiyorsanız yarenlerini de fethetmeniz, mutlu etmeniz gerek. Beni başlangıçta ilk zamanlarda sevmeyen hatta temkinle yaklaşan Âhi Hüsamettin de bunlardan birisi idi.

Sabah namazında imam Mevlâna; müezzin Hüsameddin, ben, Sultan Veled ve dervişler cemaat idi. Kamet getirmek için ayağa kalkan Hüsameddin'e tebessüm ederek bakınca oraya bayılıp düştü. Onu odasına taşıdılar. Namazdan sonra yanına uğradım.

— Kardeş geçmiş olsun. "Sınavdan bir bakışla geçtin" dedim. Yatağından kalktı elime sarıldı. Sana buğzeder dururdum. Beni affet, dile benden ne dilersen dedi.

"Ey Hüsameddin! Bu böyle olmaz; din parayla olur" sözü gereğince bir şey ver ve kulluk et ki, bize yol bulasın, dedim.

Hüsameddin hemen kalkıp eve gitti, evindeki eşyasından ne varsa, para pul, kap kaçak ve kadınların süs eşyalarına varıncaya dek ne bulduysa alıp getirdi, önüme koydu. Gilistra köyünde de tıpkı cennet bağına benzer bir bağı vardı. Hemen onu da satıp parasını pabuçlarımın içine döktü. Böyle bir padişah kendisinden bir şey istediği için yerlere kapanıyor, ağlayıp sızlıyor, Allah'a şükürlerde bulunuyordu.

— Evet, Hüsameddin. Ben Allah'ın inayetinden ve erlerinin himmetinden öyle ümit ederim ki bugünden sonra en olgun velilerin gıpta ettiği bir makama erişecek, temiz kardeşlerin kıskanıp sevdiği bir kişi olacaksın. Her ne kadar Allah erleri hiçbir şeye muhtaç değiller, hiçbir şeyden fakirlik çekmez ve iki dünyadan ellerini çekmişlerse de; sevilen kişi, ilk adım olarak sevenin sevgisini ve dünyayı; ikinci adım olarak da Allah'tan başka her şeyi terk etmesiyle imtihan eder. Çok isteyen mürit hiçbir şekilde muradına yol bulmaz; ancak kulluk ve bol bol yemek yemekle bulunabilir. "Verenler, Allah'tan korkanlar, fenalıktan çekinenler" âyeti Sıdk-ı Ekber'in (Ebu Bekir Sıddık) bayrağının nişanıdır. Çok sadık, doğruların da bu Sıddık gibi olmaları lâzımdır. Şeyh'inin yolunda altınlarını feda eden her mürit ve âşık başını da feda edebilir. Dünyada içtenlikle inanan ve her türlü ikiyüzlülükten arı duru olmuş âşıklar kalmamıştır."

Altınla dolu keseyi eline al! 'Allah'a borç veriniz' âyetine uyarak gel. Eğer bir parça altın verirsen, ona karşılık yüz bin altın madeni ele geçirirsin.

Hüsameddin'in önüme koyduğu bütün bu mal ve paradan yalnızca bir dirhem aldım. Geri kalanın hepsini tekrar Hüsameddin'e bağışladım ve anlatılmayacak derecede iltifatlarda bulundum. Hüsameddin sonunda öyle bir makama erişti ki sineleri açılmış olanlar onun sadrına baş koydular. Mevlâna Hazretleri ona "Arş hazinelerinin emini" diye hitap ederdi.

Allah bir insanı senin elinle ayağa kaldıracaksa,
sen nasıl elini uzatmazsın? Allah seni insanlara sevdirmek istiyor,
Allah senin dağılmış parçalarını topluyor.
Aşka nankörlük etme!

Bizi görenler kimin mürşit, kimin mürit olduğunu ayırt edemiyordu. Perdeler kalktıkça, lisanın sisi, görünürdeki sınırlar yanarak yok olurken uyuyoruz ve başka bir uykunun içerisine uyanıyoruz; tekrar uyuyoruz ve tekrar...

Beni Konya'da bir meclise davet ettiler, amaç oraya bir de meczup getirip o meczubun herkesin içinde beni mahcup etmesini sağlamaktır. Plan kurulur. Gittim, meclisin sol köşesindeki mindere buyur ettiler. Mindere oturdum. Odanın içindekileri gözümle taradım. Mecliste Konya'nın ileri gelen eşrafı, medrese hocaları ve birkaç tane de sofi vardı. Hoş beş faslından sonra önceden tembihlenen meczup ayağa kalkarak yüksek sesle bana yönelerek:

— Efendi; senin ileri görüşlü, çok akıllı ve sırları bilen bir üstad olduğunu duydum, bir maruzatım var, malım mülküm olan eşeğimi kaybettim, söyle bakalım benim eşek Konya'nın neresinde. Söyle de bulayım?

— Otur bakalım, birazdan senin eşeği bulacağım. Şimdi söyleyin bakalım bana içinizde aşkın ne olduğunu bilmeyen veya daha önce aşkı herhangi bir şekilde tatmamış olanınız var

113

mı? Oradakiler şaşkın şekilde durakaldılar. Kafalarını öne eğip derin derin düşünmeye başladılar. Susmuşlardı. Daha sonra birisi ayağa kalkarak:

— Evet, doğru aşkın ne olduğunu gerçekten bilmiyorum, onu hiç tatmadım. Birinden hoşlanmak nasıl olur, onu da bilmiyorum, dedi. İki kişi daha aynı şekilde cevap verince az önce eşeğinin yerini öğrenmek isteyen meczuba dönerek dedim ki:

— Bak, sen bir tane eşek kaybetmiştin ben sana üç tane buldum.

MAHŞERİN RÜZGÂRI
KONYA SOKAKLARINI KAVURUYOR

Huuu. Sen, bu sevdaya doymuş hiçbir âşık gördün mü?
İçinde bulunduğu, yüzüp durduğu denize doymuş balık gördün mü?

Korkuları ile yüzleşmekten ürken toplumların en kolay becerdikleri husus; aşkı lânetlemektir. Çünkü toplum yüce aşkın gerçekleşmesine karşıdır. Sufiliği şekilden ibaret sananlar ne bilsin aşkı. Gerçek Müslüman aşktan korkmaz.

Mevlâna topluma yol göstermek için yorucu bir gayretin içinde olmasına rağmen yaşadığı toplumca değil de sonraki asırlarda yanık ve yaygın insanlarca anlaşılacaktır. Ne tuhaf çelişki!

Zaman geçtikçe dedikodu ve kıskançlık artıyordu. Halkın zaten fitneden başka uğraşacak işi gücü yoktu. Önüne gelen konuşuyordu. Sözler kapalı odalardan çıkmış, sokağa düşmüştü. Erkekler cami avlusunda, dükkân önlerinde, kadınlar ev oturmalarında, çarşıda pazarda beni konuşuyordu. Ben önlerinden geçerken homurdanmalar ayyuka çıkıyordu. Sanki milletin canını almışım gibi zehir zemberek sözleri bağırarak dile getiriyorlardı. Her çeşit hakareti yapıyorlardı. Bu acı sözler Mevlâna'ya ulaştırılınca, dudaklarında acı bir tebessüm belirmiş, gözleri dolu dolu gelenlere şöyle demiş:

— Sizin, Şems hakkındaki hükümleriniz, onu sevmemenizdendir. Eğer onu, siz de benim gibi sevmiş olsaydınız, onun ayaklarına kapanıp öpmek için birbirinizi ezerdiniz. Yusuf'u görüp de parmağını kesen kadınlar kadar olamadınız. Yazıklar olsun size, daha ne olsun. Yazıklar olsun.

Konya'ya geleli aylar olmuş, bu müddet içinde Mevlâna, eskisi kadar medresesine uğramamış, müritlerine pek görünmemişti. Üstelik Mevlâna'yı son zamanlarda ailesi dışında hiçbir kimse ile görüştürmemeye başlamıştım. Günü benimle başlıyor, gecesi benimle bitiyordu. Allah muhabbeti insanların dedikodu türünden gevezeliklerinden tabiî ki taşkın olmalıydı. O bir elmastı, ne işi vardı tenekelerin yanında. Kanı kaynayan, dili benim kadar sivri, bakışı delici, hoyrat Alâeddin bir sabah babasının hücremden çıkışı sonrası birden içeri dalıp:

— Libası kara, dili kara yabancı, eşkıya, ne istiyorsun Mevlâna'mızdan?

— Birincisi, destursuz girdin. İkincisi, selam vermedin. Üçüncüsü benim bir ismim var. Gelelim derdine, seni dolduranların akılları vardı da, niye seni üzerime saldılar.

— Babamın hatırı olmasa buradan seni doğramadan çıkmazdım.

— Geç boş konuşmayı, sen ağzı köpürmüş köpek gibi dişini gösterdiğine göre ısırmaya niyetli değilsin.

— Babamı bizden çaldın, sen delisin.

— Kimseyi kimseden almadım. Üstelik deli değilim. Bir velinin divanesiyim o kadar. Baban sizlerin değil, Allah dostlarınındır. Allah'ın dostları, Allah'ın velileridir. Şimdi odamı adam akıllı terk et ve seni buraya yollayanlara söyle, onların canına okuyacağım. Onlar baban için kıllarını kıpırdatmazken, ben yeri ve günü geldiğinde başımı vereceğim.

Bazıları beni yok sayıp hafife alırlarken, ben önemsemem

bu yaklaşımlarını. Ne tuhaftır, bazıları da bana veli diyorlar. Haydi öyle olsun, bana bundan ne kıvanç olabilir? Belki ben bununla övünürsem çok çirkin düşer; ancak Mevlâna Kur'an ve hadiste yazılı vasıflardan anlaşıldığına göre velidir. Ben de velinin velisi, dostun dostuyum; bu bakımdan sana sağlamım.

O kadar ki, Mevlâna kendi medresesini tamamlamış, büyük bir toplantı olmuştu. O bilginler arasında sedir neresidir, diye bir konu görüşülüyordu. O günlerde ben Konya'ya yeni gelmiştim. Ahalinin arasında alt başta oturmuştu. İttifakla Mevlâna'dan sordular ki sedir nerededir? Buyurdu ki: "Âlimlerin sediri sofanın ortasıdır. Ariflerin sediri evin köşesindedir. Sofilerin sediri sofanın kenarındadır. Âşıkların mezhebinde sedir dostun yanıdır." Derhal ayağa kalktı benim yanıma oturdu. Mevlâna'nın bu hareketi halkın bana diş bilemesine neden olacaktı. Ben bu durumdan memnundum. Kimse umurumda değildi dosttan gayrı. Mevlâna beni canından bile çok sever odamın duvarına çakılan bir çiviye bile razı göstermez. Şems'in odasına çakılan çivi âdeta bedenime saplanır, derdi.

Müritlerinin çoğu hor, hakir görülen kimselerdi. Mevlâna'nın etrafındakiler düşük gelirli, fukara, geçmişte suç işlemiş, hapisten yeni çıkmış, tahsil dereceleri hemen hemen hiç olmayan kişilerden oluşuyordu. Müritlerini kınayanlara Mevlâna şöyle cevap veriyordu: "Benim müritlerim iyi insanlar olsalardı, ben onların müridi olurdum. Ahlâklarını değiştirip iyi olmaları, iyi amel eden insanların aralarına girmeleri için müritliğe kabul ettim. Allah'ın rahmetine mazhar olanlar kurtulmuşlardır. Fakat lânetine uğramışlar tedaviye muhtaç hastalardır. İşte biz bu lânetlikleri rahmetlik yapmak için dünyaya geldik." Bu cevabı ile gönlümde büyüdükçe büyümüştü. Diğer sözde şeyhler sultan, bey, zengin çevre peşinde itibar kazanmaya çalışan budalalardı. Süslü konuşma yarışında yalakalık yapıyorlardı. Mevlâna, olgunluğu ile zirveye uçan, bulutları delmeye uğraşan kartalımdı.

Şimdi Mevlâna'nın "İncindim" dediği konuya değinmek istiyorum. Dediler ki, "Şems, Mevlâna'nın sözlerinden çok yararlanıyor." Tabi ki Mevlâna bazı konularda bana ipuçları verir; ama onlar size değil, bana yöneliktir. Onun hitabı da size değildir. Bakın! Beni bir garip olarak buldu ve rahata ve huzura kavuşturdu. Şu hâlde Mevlâna kime aittir? O kimi seçerse asla ondan vazgeçemez. Gece gördüğü her rüya, sabah namazından önce gerçekleşir ve etkisi öğlene kadar devam eder. Bu nasıl şeydir? Başka bir çeşit ibadet midir? Bunun alışkanlık haline gelmemesi için yürekten uğraştım.

Senin yüzünü görmek vallahi kutludur! Hz. Muhammed'i görmek isteyen, gitsin çekinmeden Mevlâna'yı görsün. Bunu reddeden kimse yaşamayı bilmeyendir. Mevlâna'yı bulan kişi şanslıdır. Ben kimim? Ben onu bir kere bulduğum için şanslılardanım. Eğer inancında kuşkun belirirse, o kuşkularını giderir.

Bu iki âlemin yaratılışın amacı, iki dostun kavuşmasıdır. Bu iki dost Allah için gösterişten ve her türlü hevesten uzak yüz yüze gelmelidir. Ekmek, fırın ve kasap gibi dertler olmamalı. Şimdi Mevlâna'nın huzurunda öyle mutluyum.

Ey âşık olan Mevlâna! Sana övgüye gerek yok. Siz (sen) de onu övmekten vazgeçin. Övgü onu rahatlatmalı ve onu mutlu etmeli (hâlbuki bu böyle değil). Onun gönlünü inceltecek ve rahatsız edecek bir şey söylemeyiniz. Ve beni rahatsız eden şeyler onu da rahatsız eder.

Mevlâna ile benim kişilik özelliklerimiz bambaşkadır. Ben sivri dilli sert mizaçlı sinirlendiğim zaman müstehcen sözler bile sarf edebilen, insanları kırmaktan çekinmeyen, öğrencilerine karşı darbeci olabilen yapıma karşılık; Mevlâna'nın son derece nazik sözlerini ve tenkitlerini, insanları kırmayacak şekilde kibarca söyleyen, çevresindeki bütün insan ve hayvanlara merhametli olan bir kişilikte olduğunu görürsünüz. Mevlâna eğitmek amacı ile dahi olsa şefkat ve merhameti hiçbir zaman elden bırakmamıştır. Bu özelliği daha çok yaratılışındandır.

— Mevlâna'nın yüzü güzeldir. Bizim de hem güzel hem çirkin tarafımız var. Mevlâna bizim güzel tarafımızı görmüş, çirkin tarafımızı görmemiştir. Bu sefer iki yüzlülük etmiyorum çirkin tarafımı gösteriyorum, beni olduğum gibi görsün. Hem güzellik yönümü hem çirkinlik yönümü anlasın.

— Bu Mevlâna aydır. Benim varlığımın güneşine gözler erişemez; ancak aya erişebilir. Işığının ve aydınlığının son derece parlaklığından dolayı gözler güneşe bakamaz. O ay güneşe erişemez; ama güneş aya erişebilir. Nasıl ki yüce Allah Kuran'da: "Onu gözler kavrayamaz; ama o gözleri kavrar" buyuruyor.

Mevlâna'da ledün ilminden sözler vardır. O konuşurken sözlerinin kimseye faydası olup olmadığını düşünmez; ama benim çocukluğumdan beri, Allah ilhamı olan bir halim vardır. Birini sözle terbiye edersem kendi benliğinden kurtulur.

Ben sende kendimi aramışım,
Ben bende seni kaybetmişim,
Neden daha fazlasını arayayım?
Oysa ben seninle aynıymışım.

Mevlâna'nın yüzü güzeldir; benim yüzüm ise (kişiye göre) hem güzel hem çirkindir. Mevlâna benim güzel yüzümü gördü, öteki yüzümü görmedi. Bu sefer riyakârlık yapmayacağım ve her iki yüzümü göstereceğim ki tamamını görmüş olsun.

Kim ki sohbetime katılırsa, o başkalarının sohbetlerini tatsız ve sıkıcı bulur. Bu durumda başkalarının sohbetleri ona tatsız ve soğuk geldiği gibi onlarla sohbet etmek içinden gelmez.

"Mevlâna bir dalgıçtır ve ben ise tüccarım. Ortamızda bir cevher var." dediler. "Cevherin yolu aranızda bize de yol versin."

Dedim ki, "Evet, ama doğru yol şudur: Ben demem ki bana bir şey verin. Niyaz niyetiyle, bu hal diliyle Allah'a giden yol hangisidir?' demektir. Nihayet söyleyeyim, Allah'a giden yol şudur: Eğer Aksaray'a yolculuk yapacaksan yolda bir köprü vardır yani. "Onlar mallarıyla ve canlarıyla çabalar" köprüsü. Önce oradan malını canını feda ederek geçmen gerek, sonra yapılacak çok iş vardır. Eğer ille de Aksaray'a gidilecekse o yoldan ve köprüden başka bir yol yoktur. Oradan yol ıssız ovalara varır. Orada yolunu kaybedersin. Kurtlar ve belalar (gulyabaniler) ok gibi yerlerinden fırlayıp önce sana yoldaş olurlar sonra da seni yutarlar. Şimdi söyle bakalım ne yapacaksın? Ne vereceksin? Gönlünde ne var, bana açıkça söyle. Eğer bir engelin varsa açıkça söyle ki kolaylaştıralım. Çünkü ben bu yolu senden daha iyi bilirim.

Ben bir cevherden bahsediyorum, sen ise metelik vermiyorsun! Riyakârlık mı yapayım, yoksa doğruyu mu söyleyeyim? Mevlâna aydır, benim güneş gibi vücuduma gözler dayanamaz. Ay güneşe ulaşamaz ama güneş aya ulaşabilir. Kuran'da söylendiği gibi, "Gözler O'nu görmez ama O, gözlerin gördüklerini kapsar (idrak eder). "

İşleyeceğim madenin toz topraklarını silkeleyerek cevheri ortaya çıkarmaya başlamıştım. Madenin tozlarını o güne kadar tahsil edilmiş olan zahiri ve bâtınî bilgilerdi.

Mevlâna da eskiye ait ne varsa sildim. O güne kadar kazandıklarını soyup soyutlayıp çırılçıplak bırakmayı uygun buldum. Çünkü aşk nikabını giydirecektim. Neticede Mevlâna isteğimle dünya nimetlerinden yüz çevirdi. Vaazı, medreseyi bıraktı, halkla bağını keserek:

"Dün, dünle beraber gitti cancağızım
Ne kadar şey varsa düne ait
Şimdi yeni şeyler söylemek lâzım" dedi.

Tam bir teslimiyetle bana bağlandı, zira teslim ve rıza mertlerin işi idi.

Ben de Mevlâna'ya önerdiğim şekilde yaşıyordum. Zaten hayatım boyunca hiçbir kanuna, makama, maddeye önem vermeden yaşamıştım. Kuralları ters yüz etmek için bu yola girmiştim. Hayatımda "Kim ne der" korkusu yer edinmemişti hiçbir zaman. Mevlâna'ya dışarıya karşı sağır olmasını tavsiye etmiştim.

AŞKIN SÜRGÜNÜ

Git şimdi, ey vefalı! Açtırma kötü söz arayanların dudaklarını;
sakız verme dedikodu arayanların ağızlarına.
Beni aramaya çıktığını âleme bildirip deliliğine ferman yazdırma.
Kimse seni burada görmeden git. Ben ki, varım; sen içimdesin, bunu bil.

Mevlâna üzerindeki etkim türlü kıskançlıklara, haset-lere yol açmıştı ve bu fitne ateşi Konya'yı yangın ye-rine çeviriyordu. Bense aldırmaksızın nur ateşinde Mevlâna'yı pişiriyor, dil ateşinde halkı şişiriyordum. Hele bir gün vezir Nusratüddin'in konağında bir törene davet edilmişti Mevlâna. Birlikte gidelim mi dediğinde kimlerin geleceğini öğrendim. Konya'nın kalburüstü bütün adamları gelecekmiş. Tam aradı-ğım fırsat, diye kabul ettim. Beraberce gittik. Bir köşeye otur-duk. Salonu dolduran emirler, tüccarlar, bilginler ve sofilerle hınca hınç doluydu. Başladılar sohbet etmeye. Her biri bir geç-miş bilginin sözünü nakletmeye veya bir velinin keramtini sa-yıp dökmeye başlamıştı. Bütün bunları sessiz sedasız dinliyor-dum. Konuşmaları o kadar yavan, o denli iğreti idi ki bir ara da-yanamayıp, yerimden fırlayarak haykırdım:

— Ne zamana dek, şunun bunun sözüyle vakit geçirip duracaksınız? Ne zaman, kalbim Rabbimden rivayet etti diye-ceksiniz? Neden başkalarının âsâsıyla yürüyorsunuz? Hani sizin sözleriniz, hani sizin eserleriniz?

Herkes başını önüne eğmiş, tek lâf edememişti. Ama bana karşı duyulan kin ve hasedi de iyice körüklemiştim. Beni anlamayan birisi yaptıklarımı görse bu adam belasına susamış, derdi. Herkes taş kesildi, sustu. Mevlâna'ya:

— Yalancı baharlarda çiçek devşirilmez, muhabbet ehlinde söz hamurlaşır, burası sözün çamurlaştığı çöplük, kalk gidelim, dedim. Salondakilerin sözlerimden yedikleri tokat yüzlerinin kızarıklıklarından belli oluyordu. Eyvallah bile demeyi gerek görmeden beraberce çıktık.

Düşmanlarım gün geçtikçe artıyordu. Bu artışta alevleri ben palazlandırıyordum. Bir keresinde yolum çarşıdaki bir hana düştü. Girdim içeri kalabalık bir sofra kurulmuş, müşterilerden çok şehir halkı bağdaş kurmuş kıtlıktan çıkmış çekirge sürüsü gibi tıkınıyordu.

Ey ahali, avareler topluluğu! Duydum ki benim hakkımda orada burada arkamdan asılsızca ileri geri konuşuyorsunuz. Şems mezhepsizin teki demişsiniz. Haklısınız. Her mezhebi okudum, hiçbir mezhebe bağlı değilim. Her çiçeği kokladım, hiçbir çiçeğe yaprak olmadım. Meşk adamıyım; ama meşrebsizim. Konuşurum; ama yazmam. Okurum ama kitap kölesi değilim. Kâğıtlardan, derilerden değil gönülden okuyanım. Beni dilenci sandınız. Varın öyle sanın. Sizden para pul istemem. Benim ödülümü veren verecek nasıl olsa. Tiridiniz, kebabınız sizin olsun. Lokmanızı değil; ama sultanınızı elinizden alacağım. Tenekeleşen, pas tutan, küf kokan gözleriniz elmastan habersiz. Kirletmeyin kandilimi. Açın yolumu. Zıkkımlanın sofranızda. Kitap, kadın, kahır ve kapristen iğrenirim. Aşka aç olanı doyurmaya geldim. Et ile kemikle oyalanın siz.

Handaki konuşmam şehre yayılmış. Kazanları kaynatmışlar dedikodu akbabaları. Mevlâna da duymuş olup biteni. Sıkılarak süklüm büklüm o akşam odama geldi.

— Seni konuşuyor bütün Konya ve ben buna çok üzülüyorum.

— Korkma, ne bana ne sana dokunamazlar.

— Beni, senin sevdiğin kadar onların da seni sevmesini isterdim.

— Benim senden başkasının sevgisine, dostluğuna ihtiyacım yok. Sen okyanussun, diğerleri çukurdaki çamurlu su birikintisi. Benim pervasız oluşum yaratılışımın gereğidir. Şimdi benimle yaşamak zordur. Nasıl ki Musa Peygamber'in o üçüncü dileği Allah'a karşı duyduğu arzu ve istek ateşinden, aşk tutkunluğundan idi. Yoksa Hızır ile buluşmak için değildi. Musa'nın bu husustaki açlığı senden daha mı azdı. Ben bir tek sana açım anlıyor musun Mevlâna?

— Haklısın Şems. Şikâyetçi değilim sözlerden.

— Şimdi sana bir sofi hikâyesi anlatayım Mevlâna'm. "Ağır hastalanan bir sofi'yi dostları alıp hekime götürmüşler. Hekim sormuş "Anlat bakalım nedir şikâyetin?" Hekimin bu sorusunu duyan sofi irkilmiş. "Hiçbir şikâyetim yok benim" diye cevap vermiş. Şaşıran hekime sofinin yanındaki arkadaşları durumu açıklamışlar. "O sofidir. Şikâyet etmez. Şikâyetin nedir diye boşuna sorma. Ona neren ağrıyor, diye sor, ancak o şekilde cevap verir" demişler.

Bizse nelerden nelerden şikâyet ederiz. En ufak hoşumuza gitmeyen bir şeyden, acıdan, aşktan, hastalıktan, üzüntüden hatta bazen fazla sevgiden, fazla ilgiden. Buğday ot halindeyken bir işe yaramaz, onu değirmende ezmek gerekir, öğütmek gerekir ki iş yapabilsin. Tohum ekilmeden, toprağın altına gömülmeden ne işe yarar ki? İşte buğday gibi ezilmeye yardım eder. O şikâyetler, tohum gibi bazen yerin dibine sokar bizi; ama sonu hep güzeldir, çiçek açar her tohum gibi…

Kaç aşk eleğinden geçmem lâzım
yedi deryayı bir yudumda içebilmek için?

1246 yılının mart ayı başlarında, ansızın Konya'dan kayboluvermiştim. Konya'ya geldiğimi kimse görmemişti, gittiğimi de kimsenin görmemesi gerekiyordu. Gelişim davetsizdi. Gidişim de elvedasız olsun istedim. Gitmem artık kaçınılmazdı. Kaçış değildi gidişim. Kimseye dargın da değildim. Korktuğumdan gittiğimi düşünen düşünsün. Mevlâna'yı seviyorsam gitmeliydim. Birisini seviyorsanız onun iyiliğini istiyorsunuz demektir ve dost için gitmeyi de bilmelisiniz. Esrarengiz gidişimle Mevlâna'nın pişmiş mi çiğ mi kalmış bunu da öğrenmem gerekiyordu. Gidişim feda içindi. Dosta feda, dosta veda. İçim kan ağlasa da gitmeliydim. Mevlâna'ya danışsam ölür de bırakmazdı. İkimiz için de doğru olan buydu. Gitmeliydim, karanlığı yara yara yaralarımı içimde uçurumlaştırarak. Mevlâna'dan başkası aklımda yoktu.

Gökyüzünün yıldız yıldız kandilleri yanık, şehrin kandilleri sönük. Zifiri bir karanlık var Konya sokaklarında. Solukları donduracak kuru bir ayaz, insanlar yataklarına çekilmiş. Dergâhta da tek tek söndü kandiller. Mevlâna'nın odasından da ışık gelmiyor. Kapının önünde bir derviş. Selam verip "Biraz dolaşıp geleceğim" diyerek çıkıyorum. Bağların, bahçelerin ıssız tenha yollarından geçerek şehir dışına çıktım, aklı karışıkları hesapları ile baş başa bırakarak. Ayın ışığının altında bir hayalet gibi süzülüyorum, gecenin koynundan bilinmez yönlere dudağımda bir cümle:

"Dünyada garip bir yolcu gibi ol!"

Gün ışıdığında hâlâ yürümekteydim. Yoruldum. Acıkmıştım. Önümde bir bozkır köyü gözüktü. Bir ahıra girdim. Otlardan, çalılardan bir minder yapıp uzandım. Uyuyakalmışım. Köylülerin sesi ile uyandım. Tandır ekmeği ikram ettiler. Yanımda bir dirhem dahi para yoktu. Köylülere bana uygun bir iş var mı diye sordum. Amacım birkaç dirhem kazanıp kendime bir merkep almaktı. Bir köylünün tarlasında ırgatlık yapmam karşılığı boz bir merkep almıştım. Merkebin sırtında güneşin doğduğu topraklara doğru yol aldım. Memleketim Tebriz'e gelmiştim.

Uzun yıllar olmuştu Tebriz'i görmeyeli. İncecik bir yağmur çiselerken toprağa, gözlerim bulut bulut aile mezarlığına uğradım. Vefat etmiş aileme dualar okudum ağlayarak. Tebriz'de fazla kalmak istemedim. Niyetim Mevlâna'nın çocukluğunda ve gençlik dönemlerinde geçtiği şehirlerde onun kokusunu aramaktı.

Hüzün senelerim başlıyordu. Ayrılık hallerinden bir haldir hüzün. Dünya dediğimiz bir hüzün gurbeti değil miydi zaten? Hüzün ki en çok yakışandı âşıklara. Yandık, yakıldık; ama hüzünden yana asla yakınmadık. Ne de olsa biz mahzun bir peygamberin ümmeti değil miyiz? Hüzün taze tutar aşk yarasını. Yaramdan da hoşum, yârimden de.

Hüzün dalgası çarptıysa bir insanın yüreğine, ya Mevlâsını özlemiştir ya da Mevlâsı onu... Mevlâ'yı özleyen gönül ya hüznü bekler ya da hüzündedir. Bela, gam ve keder Mevlâ'nın sevdiklerine gösterdiği kamçıdır. Vurdukça kendine çeker. Hüzün ki, Mevlâmın Mevlâna'mı özlem özlem içime dokuduğu kumaş.

Nereye baksam Mevlâna'yı görür oldum. Göğe baksam,

suya baksam tek gördüğüm Mevlâna. Rüzgârın sesinde, rüyalarımın üveykinde hep Mevlâna. Yıldız şavklarında, cami şadırvanlarında gördüğüm daima Mevlâna. Sen canımın içindesin, canımsa senden habersiz... Dünya seninle dolu, dünya senden habersiz... Gönlüm, canım nasıl bulsun seni? Çünkü sen, tümüyle gönüldesin... Sense gönülden habersiz.

Ey maşukum, ah Mevlâna'm; kimsenin bilemediği yerlerde sakladım yüreğimi, sürgün ve azade yüreğim seninleydi. Sen bilmiyordun, yüreğimde büyüttüm içimdeki yetimliği. Gitmeliydim. Yalnızca yalnızlığımda suladım sana olan susuzluğumu.. Sesini duyabilmek hayatımın en nefessiz anı seni görebilmek, en ulaşılmaz hayalimdi. Bırak hakikati... Kuru bir hayali bile çok gördüler bu Şems'e.

Ne vazgeçilebilirim senden ne de sana ulaşılabilirim. Her gece hasretinle kapanır artık bu gözlerim, her sabah güneşim solgunlaşır ayrılığın sancısıyla. Saklı tutamadığım sevgimi başladığım gibi bitirmeli, geldiğim gibi gitmeliydim.

Gözlerimden "sen" diye düşerken gözyaşlarım, gitmeye mecburdum. Sen bana bir ömür uzakta olsan da ben bir nefes kadar yakınındayım. Sen olmasan da sensizlikte seninle soluk alıyor olacağım. Baharları bir çiçek olup kokusuyla gönlüne dolacağım. Karanlığına saklandığında gözlerimde bir avuç güneşle geleceğim seni aydınlatmaya. Kimsenin ne dediğini duymak istemiyorum... Sadece yaşamak ve görmek istiyorum. Hiçbir hayale sığdıramadığım tek gerçeğimsin. Sevdim işte ötesi de yok gerisi de....

Kayboluşumun Mevlâna'yı can evinden yaralayacağını biliyordum ama gel gör ki aşkın bir adı da fedakârlık değil mi?.. Sonradan öğrendiğime göre gidişimle buna sebep olanlara kırılmış dostum. Hücresine kapanmış, hicranının ateşinde yanıp yakılıyormuş. Bu mukadderdi, Mevlâna'nın Mevlâna olabilmesi için bu lâzımdı. Eline kalem kâğıt almış, ah edip inleyişlerini dökmüş.

Beni aramak için birkaç kere Şam'a gelmiş. Bu aramalar bir teselliydi. Ben ortaya çıkmaya niyet etmedikçe bulamayacağını biliyordu. Şam'a bir keklik gibi giden Mevlâna, Konya'ya alıcı bir doğan gibi dönmüştü. Aşk yalnızlığı kabullenmektir...

Aşkın denklemi çözümsüz. Alışmak gerek sadece sevmeye. Sevilmeyi tatmadan da yaşamayı öğrenebilir insan. Ama birini sevmeyi, birine sımsıkı bağlanmayı mutlaka yaşamalı. İşte o zaman hayata bir bağlılık olur...

Bense Şam'da değil, Afgan köylerinde divane dolaşıp duruyordum. Afganistan topraklarında Haşhaşilerin dergâhlarında Rafizi şaşkınların doğru yola gelmesine gayret göstermekle kendimi oyalıyor, bu şekilde Mevlâna'dan ayrılışımın acısını teselli edeceğime inanıyordum. Ama nafile. Gün geçtikçe acım daha da derinleşiyordu. Baktım olmuyor, bari Mevlâna'mı ilk gördüğüm Şam sokaklarında onun hatırası ve kokusu ile teselli bulayım, diye Şam'a dönmeye niyet ettim.

Tebriz'de çok sevilen Seyyid Şahmer denen bir şeyhi, talebelerinin gözleri önünde rezil rüsva ettim. Sahte şeyh olduğunu, halkı kandırdığını söyledim. Yine dilimi tutamamıştım. Dervişleri beni orada linç edeceklerdi. Halk benim etrafımı sarınca vazgeçtiler. Seyyid Şahmer arkamdan bağırıyordu:

— Sana bir haller olmuş, önceden de dengesizdin ama bu kadar divane değildin. Ne olduysa sana Konya'da olmuş. Andolsun Konya'yı sana mezar edeceğim. Moğol şeytanlarından beter bela olacağını sakın unutma!

Şam'da beni aramakla meşgul olan Mevlâna'nın derdi, Konya'yı sarmıştı. Konya halkı endişeli günler geçirmişti. Ya Mevlâna olup bitenlere gücenerek Konya'ya bir daha dönmezse, Şam'a yerleşir kalırsa? O zaman, Mevlâna'sız tadı tuzu olmazdı bu şehrin. Koca başkent. Onsuz pek yavan, pek sönük kalırdı. Bu endişelerini Konyalılar, saraya kadar duyurur. Mektuplar yazılır, ricalar edilir ve dost döner memleketine. Onun dönüşünün ertesi günü ben girmişim Şehr-i yâr Şam'a. Mevlâna şehr-i sevda Konya'da, bense sevdanın hatırasını han odalarında, Şam sokaklarında aramada.

Beni Şam'da bulma umudunu yitiren Mevlâna biçare döner Konya'ya. Döndüğü gece rüyasında beni Şam'daki handa görmüş. Sabah bir mektup yazıp dervişin birisi ile göndermiş. Onu sıkı sıkı tembihlemiş:

— Eğer müjdeli haber ile gelirsen dile benden ne dilersen.

— Yüreğinizin sağlığını talep ederim efendim.

— Var git selametle, dön esenlik muştuları ile.

Şam'da hancıyı hem tembihledim hem de tehdit ettim:

— Beni tanımıyorsun, bilmiyorsun. Soran olursa aylardır uğramaz dersin. Dediğimi yapmazsan bir intizarımla hanını başına yıkarım.

Derviş mektubu getirmiş. Hancının sözleri ile şevki kırılmış. Bir ümit belki gelir, diye mektubu hancıya emanet bırakmış.

"Seni ne huzuru arayanlara, ne huzuru bulanlara, ne de huzurdan kaçanlara sordum. Güneşin sıcaklığını en iyi kim anlatabilir? Sıcaktan düşüp bayılan mı? Hayır, onun aşkı zayıftır. Güneşe yolculuk yapan mı? O da değil, gitse gitse nereye kadar gidebilir ki? Gölgeye sığınanlara ise güneşi hiç sormamalı...

Aşk mabedim... Efendim... Söyler misin? Nedir bu çektiğim acıların mânası? Bu ayrılığın esrarengizliği yüreğime saldığın alevlerin lavlaşması içinse yeterince erimedim mi ateş toplarında? Öyle yandım ki;

Sen yandıkça, ben yanayım!

Sen dondukça, ben de donayım!

"Yine kehkeşânlara kaçarak mı özleteceksin kendini... Özlemlerim, boşluğa atılan kuru karanfiller gibi sere serpe dağılıyor harayellerin, acının koynunda... İçime güneş doğmaz oldu artık sen gittin gideli... Göklere seninle buruç edecektim hâlbuki... Saçlarıma aklar düşmeye başlamış, sırf bu aşkın ceremesinden... Serencame gökkubbeye niyaz edecek ve merhamet isteyecek kapılar dahi yüzüme kapanıyor? Sendedir bu boz bulanık sellere kapılan ömrümün mihrap ve minberi... Salâlar benim için okunuyor artık... Gözyaşım seccademde buğulanıyor her seher vakti, ama ne sesin geliyor artık uzaklardan, ne de nefesin...

Ezanlar okunur günbegün ve içli içli... Ama alnımı, alnına değdirmedikçe huzura ermeyecek bir çağıldama örseliyor şakaklarımı... Alnımda sanki Dağıstanlı atlılar... Ve ellerim titriyor zaman zaman... Bu divaneliğin ağır tütsüsünü... Ve omuzlarım çökeliyor seni düşündükçe... Unutma, şah eserin olan ben, gün geçtikçe artık viraneye dönüyorum... Ama sen hâlâ bana dönmüyorsun!.. Muradım; Rabbü'l Âlemin; bu sevdanın kadrini ve kıymetini kimseye muhtaç etmesin..."

"Düşüncelerim, ipliği kopan tespih taneleri gibi dağılıveriyor sensiz... Şimdi gözyaşlarımdan inci yapmak isterdim sana... Keşke yanımda olsaydın... Kelimelerim şelâleleşiyor ne zaman sana dair bir şeyler yazmaya kalksam... Yanan alnım, müşfik avuçlarına ne kadar da muhtaç bilemezsin... Beni ne kadar ateşe versen de, hiçbir hatıramız küllenemez, bunu bilesin... Zümrüd-ü Anka gibi kendi külümden doğar ve katar katar Turnalar gibi yine kanat vurarak yine revan olurum yollarına...

"Gözlerimde bir mahmurluk, sensiz uykularımdan arda kalan... Sinemde yumru yumru yutkunamadığım bir sıkıntı... Nefeslerim yetmez oluyor artık şu garip canıma... Ve ben gözlerimi tava-

na mıhlamış, bir tek seni düşünüyorum... Alnımda boncuk boncuk soğuk terler... Kulağım işitmez oldu artık, sesinden gayri her ne var ise şu âlemde... Göz kapaklarım tutulmuş, hayalin perdelenmesin diye... Artık gözyaşlarımda hasretlik tuzu bile kalmadı acılarımı ılık ılık dindirecek...

Kanım donuyor... Bir de üşümedir işliyor ruhuma apansız... Sıcağın yok ki yanımda... Ve ardından sabah oluyor, yine bin bir eza ve cefa ile kahroluyorum işte! O ayrılıktan kahroluyorum... Biliyorsun, hünkârım sensin... Sevgilim ve mabedim... (sensin). Muradım; yedi göğün mevlâsı; bizi, bu kahırdan azat edesin..."

Kelebekler senin yüzünün değdiği bahçelere yayıyor kanatlarını. Şu dar göğsümün kozasından çıkmaya çalışıyorum. Sonsuz genişliklerin sırrı iki dudağının arasında saklı. Bir kelâm söyle ne olur! Her hecenin tınısında duymak istiyorum. Rüzgârlar savursun beni, yağmurların hepsi alnıma düşsün, taşların hepsi göğsüme düşsün. Senin ayaklarını öpen kocaman bir dağ olayım. Çöller savrulsun, dağlar aradan çekilsin, yokuşlar ve inişler bitsin ki yürüdüğün yollara toz olayım. Çöldeyim, susuzum. Kuyularda Yusuf'um. Sözlerin bana Züleyhâ. Ateşlerde İbrahim'im. Gözlerin bana derya. Sancılar içinde Meryem'im. Bakışın bana İsa. Yaralar içinde Eyyub'um. Hasretin bana şifa. Ölüler içinde bir ölüyüm. Ellerin bana musalla.

Ey kalbimizde olan nur! Gel didinmelerimin ve arzumun sonu gel. Hayatımız senin elinde olduğunu biliyorsun. Hayatı, kullarını sıkıntılı yapma gel. Ey aşk! Ey maşuk! Engelleri aş ve inadı bırak da gel. Ey Hüdhüdlerin sahibi olan Süleyman! Lütfedip de bizi aramak üzere gel.

Ruhlar seni kaybolmadan ötürü inleyip feryat etmedeler; miadını doldur da gel. Ayıplarını ört, iyilikleri saç. Cömert olanların âdeti de böyledir gel. Farsça 'gel' nasıl derler? 'Biya' mı? Ya gel veya bizim davetimize hak ver de gel. Geleceğin zaman muradımız ne de açılır. Gelmeyeceğin zaman da muradımız ne de kesat olur; gel. Ey Arabın Küşadı! Ey İran'ın Kubad'ı! Kalbimi hatıranla fethedersin gel. İçim sana gel deyicidir. Ey varlığından olacak olan varlık, gel.

Gittin ya. Kalsan güzel olurdu, gitmişin neye yarar? Sen gittin ama bak senle ilgili olan bir şey bende. Sensizlik bende. Gittin. Heyhat! Pervane'ye döndü narin yüreğim sensizliğinde.

Her yalnız âşık değildir; ama her yanmış aşkın kuytusunda yalnızdır. Ateşinden değil ateşsizliğinden yanmışım diyorum. Ey aşkın sesi, nefesi gel bir an evvel. Dinsin artık kıyametin gürültüsü...

Mektubu okuduktan sonra kokladım göğsüme koydum. Cevap yazmadım. Aradan bir ay geçti. İkinci mektup geldi. İkinci mektup ilkinden daha uzun, daha iç açıcıydı:

"Ey dünyanın zarifi! Selam senin üzerine olsun. Benim hastalığım ve sağlığım senin elindedir. Kulun derdinin dermanı nedir, söyle. Bu, eğer alırsam senin dudaklarından aldığım öpücüktür. Eğer vücudumla senin hizmetine ulaşmazsam ruhum ve kalbim senin yanındadır. Mademki sözsüz hitap oluşmuyor, o hâlde dünya niçin "buyur"la doldu?

Ah ah! Gönlüm çilem, aşkım, kederim, acım, gönlüm! Sustukça hoş geçimlim, dile geldikçe parlayan alevim. Kopup saçılan gerdanlığında soylu nedimelerin, savrulan incileri yere inen hüzünlerim. Aramadan bulduğum yola koyulmuş göçüm. Bir türlü kavuşamadığım, kavuşmaya doyamadığım. Dışında olamadığım, içinden çıkamadığım. Gecelerin hâkimi, gözyaşlarımın pınarı efendim. Tozunu yıkamaya erişemediğim, pasını silemediğim. Karanlığım, Güneş'im. Gönlüm, aziz dostum! Nerelerdesin, ya dön artık yurduna, ya da iki satır yaz bize... Kim gücendirdi senin o nazende yüreğini, hangi kem söz, hangi sinsi nazar seni benden kopardı ey Şems. Varım yoğum sensin. Sen de yoksan ben bir hiçim bilmez misin? Kavline mestân olan Mevlâna'ya ayrılığı hediye etme. Etme Şems.

Duydum ki bizi bırakmaya azmediyorsun, etme
Başka bir yar başka bir dosta meylediyorsun, etme
Sen yadeller dünyasında ne arıyorsun yabancı
Hangi hasta gönüllüyü kastediyorsun, etme
Çalma bizi bizden bizi gitme o ellere doğru
Çalınmış başkalarına nazar ediyorsun, etme
Ey ay felek harab olmuş alt üst olmuş senin için
Bizi öyle harab öyle alt üst ediyorsun, etme

Ey makamı var ve yokun üzerinde olan kişi
Sen varlık sahasını öyle terk ediyorsun, etme
Sen yüz çevirecek olsan ay kapkara olur gamdan
Ayın da evini yıkmayı kastediyorsun, etme
Bizim dudağımız kurur sen kuruyacak olsan
Gözlerimizi öyle yaş dolu ediyorsun, etme
Âşıklarla başa çıkacak gücün yoksa eğer
Aşka öyleyse ne diye hayret ediyorsun, etme
Ey cennetin cehennemin elinde olduğu kişi
Bize cenneti öyle cehennem ediyorsun, etme
Şekerliğinin içinde zehir zarar vermez bize
O zehri o şekerle sen bir ediyorsun, etme...
Bizi sevindiriyorsun huzurumuz kaçar öyle
Huzurumu bozuyorsun sen mahvediyorsun, etme
Harama bulaşan gözüm güzelliğinin hırsızı
Ey hırsızlığa da değen hırsızlık ediyorsun, etme
İsyan et ey arkadaşım söz söyleyecek an değil
Aşkın baygınlığıyla ne meşk ediyorsun, etme!

Senden önce kitaplarda arıyordum derinliği. Kitaplardan utanıyorum. Sen bütün kitaplardan daha derinsin, sana yazdığım mektuplardan utanıyorum, kendi kendini oku.

Karanlıklardaydım ve cinnetin sesi yüzümü kamçılıyor: bir

baykuş kahkahası, bir kobra ıslığı... Karanlıklardayım. Zindanımı aydınlatan tek ışık cıvıltılarınızdı. Yıldızım benim ve uzaklardasınız.

Ey Şems, sen kalbî bir gözyaşı kadar temiz ve bir çocuk bakışı kadar aydınlık bir insansın. Çöldeki çakallar su içmiş. Kaynağa ne?

Seninle öyle doluyum ki, kafatasım çatlayacaktı. Damarlarımda akan kan, sendin. Göğüs boşluğumdaki kalp senin kalbindi. Damarlarım çatlayacak, göğsüm yarılacaktı. Seni teneffüs ediyordum. Hicran kanatları beni gökten yere indirdi. Oysa seninle kanat çırpıyorduk.

Sensiz her geceyi hummalı yaşadım. Belki humma daha güzeldi. Ne belkisi? Ama uzviyet ne kadar dayanabilir ki bu gerginliğe? Aşka teşekkür borçluyum. Ben o hummanın içinde erimek istiyorum. O alevin içinde yanmak, kül olmak biricik muradım. Kül olmak, ışık olmak, efsane olmak.

Ben senim, sen de bensin. Aynı kokuları, aynı heyecanları, aynı acıları yaşıyoruz. Cennete Araf'dan girilir. Mecdelli Meryem, İsa'nın yaralı ayaklarını gözyaşlarıyla yıkadı ve saçlarıyla kuruladı. Gelsen de yılların yorgunluğuna düçar, yolların dikenlerine bizar ayaklarını yıkayan olsam ey Sertaçım..

Ey Şems'im! Senin hasretin yanında Selahaddin Zerkubumun gözyaşları, içimdeki ateşi bir nebze dahi söndüremiyor. İlla sen. Ancak sen. Ah bir gelsen...

Meccanen bir deli gibi yollara düşsem, yalvarsam, ağlasam, çatlasam göklerin sidresine namzed. Sanemler devşirsem şahikalardan, sırf senin için uçurumlar yutsam. Fasıl fasıl anlatsam yürek sancımı ve ağlasam. Çatlarcasına ağlasam. Gururum halvethane olmuş desem, hece yok desem. Yollarında üryan olan gözlerimde çiseler umut umut dökülüyor desem. Yine de gelmez misin Şems'im!

Bu sergüzeştin neresindeyim, bilemiyorum. Kah kalkıyor, kah düşüyorum. Ölü şiirlerle yatıyor ve üşüyorum. Bilmiyorum acep var mıdır bu kör uykunun dibi?

Ey Şems, hangi söz gücendirdi nazende gönlünü. Hangi kem göz incitti gece karası bakışlarını da ansızın çekip gittin bilinmez diyarlara. Sen gittin ya bilmez misin bu dostun deli divane dolaşmakta. Gel ey Şems. Sina'da bayılan Musa aşkına, Kudüs'te kan ağlayan İsa hatırına, Medine'de "ümmetim ümmetim" diye feryat eden Muhammed Muhtar nuru için gel Şems. Konya artık aşk kokmuyor Şems.

"Senin Mevlâna'n"

Mektubu okudum, pencereden göğe doğru baktım. Gökten bir taş düştü, gözden bir yaş düştü sineme. Pencere kenarında düşünürken Mevlâna'ya içimden şunları mırıldanıyordum. Kelimelerin birer buse, dudaklarınla mı yazdın mübarek insan? Birer ateşti kelimelerin, kalbini yarıp da zarfın içine mi sürdün be âşık insan? Avuçlarıma alıyorum kelimeleri, okşuyorum. Kimi bir elmas gibi sert, kanatıyor; kimi kadife gibi yumuşak, gözyaşı gibi ılık. Bütün acılarımı takdis ediyorum. Cevap yazmaya hâlâ niyetim yok. Sabır gösterene sabırdan güzel cevap olamazdı.

Bir kaç hafta sonra üçüncü mektup da geldi:

"Güller Şems diye açmıyorsa, gülün kokusunu neyleyeyim. Ayrılığı ağlatamayan gecenin karanlığını neyleyeyim... Şemssiz sofranın balını böreğini neyleyeyim. Beni kavurmayan acıyı neyleyeyim... Gözümü yakmayan gözyaşını neyleyeyim. Karanlığıma Şems olamayan yâri neyleyeyim, canını yoluma post eylemeyen dostu neyleyeyim. Şems gibi bakmayan gözü neyleyeyim. Yârenin yüreğine merhem olmayan sözü neyleyeyim. Kır kalemimi ey felek! Şems yoksa ne diye devran edersin âlemde. Zerrede âlemi, âlemde aşkı yaşamayan Âdem'i neyleyim.

SİNAN YAĞMUR

Sensizliğe alışmak... Her türlü teselli sözü bir ihanet geliyor kulağıma. Ne tuhaf ki dün seni bana kötüleyen diller, bugün sensizliğin efkârındaki Mevlânâ'yı teselli için dil döküyorlardı. Her türlü teselli sözü bir ihanet geliyor kulağıma. Parmaklarım alev alev yanıyor. Kâğıt tutuşacak, mektup yanacak diye çekiniyorum. Cehennemden betermiş, seni kazanmak için senden uzaklaşmak.

Kırk senedir beklediğimdin. Geç bulduğumdun. Şimdi yoksun. Daha kaç sene bekleyeceğim. Çöldeki kumlar kadar susuzum. Gelişin nisan yağmuru olsun. Hani dergâhımızın avlusuna bakırdan koskoca bir taş koymuştun. Nisan yağmurları dolsun da orucumuzu bin bereketli yağmurla açalım diye. Gönlümün nisan yağmurlarıyla ıslanan gülü açmayacak mısın hâlâ?

Sözlerin kulaklarında hâlâ taze. Kelimeler yıldız yıldız. Cümlelerin mehtapların en şahanesi. Tebessümün geliyor gözümün önüne. Vuslat gibi güzel bir sabah güneş gülüşlerin. Biz birbiriyle genişleyen, kenetlenen ve sonsuzlaşan tek ruhuz.

Gel Şems, ayakların kudüm olsun, kolların rebap, soluğun ney olup vuslat müjdesini üfleyerek gel.

Nasıl bir pınarsın sen Şems? İçtikçe susadığım. Nasıl bir ateşsin sen ey Şems? Yandıkça serinlediğim. Sen görünüşte etten kemikten ibaret bir insan; ama bütün insanlığı kalbinde taşıyan.

Senin yüzünü görmedikten sonra, varsayalım ki yüzlerce dünya görmüşüm, ne çıkar?

Güzelliğini kimlere sorayım senin, say ki herkese sormuşum, kim anlatacak? Sana kavuşmadıktan sonra tut ki cennette ebedîyim, hurilerle eşim, devlet yâr olmuş bana, ne çıkar bunlardan?

Ayrılık bulutu senin ay yüzünü örttükten sonra, o bulut tut ki başıma inciler mücevherler yağdırmış, Ne kârım olur bundan?

Şu aşağılık büyücü karı olan dünya, mademki yok olup gidecek bir gün, tahtını, bahtını, dünya hazinelerini bana bağışlamışlar kabul et, ne olur ki yani?

Senin aşkın yüzünden bütün dünya beni kötülese pervam olmaz, say ki gerçek hakkında yüzlerce yalan söylenmiş, ne önemi olur bunların?

Aşk suskunluğumdu benim! Aşk yangınımdı benim! Aşk vurgunumdu benim! Aşk yazımdı benim! Aşk yasağımdı benim! Aşk itirafımdı benim! Aşk heyecanımdı benim! Tek varlığım ve tek yokluğum... Yaram ve merhemim... Kazanmadığım; ama hep kaybettiğim. Evet, buydu aşk! Özledim, ey Şems özledim. Çık gel Allah aşkına!

Aşkın insanı büyüttüğünü olgunlaştırdığını da öğrendim artık. Bu yaşıma kadar kimse öğretmedi bana aşkın karşılıksız olduğunu. Sadece gönülden sevenin bu acıyla kavrulacağını, sevilenin ise sevildiğini bilmeyeceğini... Şükürler olsun "Sana!" Bana hayatta öğretilmeyenleri hissettirdin. Hiç kimseye hissetmediklerimi hissettirdin. Hiç kimse için yapamayacaklarımı yaptım. Pişman mıyım? Hayır, hiç pişman olmadım ve aşkı sonsuzluğuma saklarken bile mutluyum. Hayatımın son basamaklarında bana böyle bir aşkı yaşattın. Seni sevmeme izin verdiğin için teşekkür ederim..."

Son mektup içimi dağladı. Cevap yazıp yazmamakta tereddüt ettim. Bir yanda hasretin yangını diğer yanda Mevlâna için fedakârlık. Aşk için, aşk adına. Aşk hatırına gitmeliydim. Yazı yazmayı oldum olası sevmezdim. Mevlâna'ya dönecektim ancak bir şartla. Beni yola düşürecek kelimeyi yazabilecek miydi acaba? Bunu öğrenmek için cevabi mektubu yolladım.

"Aşk ehli isen sitemin cahili olma. Özledim diyorsun mektubunda. Sadece kuru bir özledim mi yazdı yanık yüreğin. Anla Mevlâna. Ağla Mevlâna. Bu ayrılık bir dersti anlayana. Bu gam sebepti ağlamana. Nâdan olma gelir bir aşiyan gözyaşını kurulamaya. Ağlama Mevlâna'm.

Karşılıksız sevgiyi yaşamak gerekiyormuş. Birini sevmenin, delice bir aşkla bağlanmanın güzelliğini yaşamanın hazan mevsimine gel-

mek olduğunu bilmiyordum. Meğer hayatta ne çok şey kaçırmışım...
Ya ben erken geldim, ya sen çok geç kaldın vuslata...

Benden çılgın bir gülüş bekleme. Acılarımla mutluyum. Mutluluk çatık kaşlıdır ve ciddidir. İkimiz de fırtınaya yakalanmışız aşk nereye savurur, bilinmez. Ayrılığımız kâh asırlar kadar uzun, kâh rüya kadar kısa. Asrı, vuslata çevirmek senin yazacağın bir kelimeye bağlı.

Bana öyle bir kelime yaz ki dayanamayıp, Şam'dan uçup kanatlanayım Konya'ya. Beni perişan et, pervane et, bir kelime yaz... Öyle bir kelime ki lügatlerde geçmemiş olsun. Öyle bir kelime ki daha önce kimse kimseye söylememiş olsun. Öyle bir kelime ki cehennemi söndürsün... Yaz ki gelsin ayağına kapanan turabın olsun Şems."

Mektubum kendisine ulaşınca Mevlâna'nın bayramlık çocuklar gibi sevindiğini anlattılar sonraları. Kelimelerim mektuptan göğe uçtu, göğe, yani gönlüne. Kelimelerim musiki oldu Mevlâna'ya. Bütün kokular yavan, bütün şiirler soluk, bütün şarkılar ahenksizdir artık Mevlâna'nın yanında. Mektubumu okudukça zirvelerdeydi, büyük mustariplerin, büyük ermişlerin, büyük ruhların kanat çırptığı zirvelerde. Ve "Kendimden utanıyorum, ben toprağım, sen arş. Ben tenim, sen gönül. Ben alevim, sen ışık" diyerek, defalarca okur.. okur.. koklar.. koklar kâğıdı. Sonra koynuna sokarak derin bir âh çeker. Mektubu tekrar çıkarır sinesinden Sidretü'l Münteha'yı geçercesine tekrar okur kendinden geçerek. Olduğu yere sevinçten yığılır... Rüyalar içinde bir rüyadan başka bir rüyaya uyanır. Elini göğsünde gezdirdiğinde kâğıdın bembeyaz bir güle dönüştüğünü görür. Gülü koklar. Ağlar, ağlar... Bir gül yaprağını usulca naifçe koparır, gözyaşına sürerek ıslatır parmağının ucunu, yaprağa dokundurur ve boş bir kâğıda tek bir kelime yazar: "HAMUŞ"...

Hancının getirdiği zarfı açtım, okudum. Dönmem için istediğim kelime yazılmıştı; artık durmanın anlamı yoktu. Hamuş'umun çiğlerin arasında tekrar hamurlaşmasına gönlüm razı olmamıştı. Ne olacaksa olsun dönmeliydim. Ya Hamuş "aşk" olacaktı, ya ben aşk için ölecektim.

Sevgiliye bu kadar serzeniş çok görülmez umarım. Evet, yaşadım, gördüm, öğrendim. Sevgi ve aşk sadece tek kişi tarafından yaşanabiliyor. Aşkın karşılığı yok. Bazı insanlar sadece sevmeyi bilir, karşısındaki sever mi sevmez mi hiç düşünmeden sever. Hep bekler sevecek diye ve sonunda görür ki sizi kırmamak adına hatır için kendini zorlayarak karşılık verme çabasındadır. Oysaki herkes duygularında özgürdür ve kimse kimseyi zorla sevemez. Kırgınlık olmaz aşkta. Seviyorsan, gerçekten aşkını yüreğinde hissediyorsan bırakacaksın sevgiliyi özgürce, kanat çırpsın ve nerede, kiminle mutluysa tadına vararak yaşasın... Onun mutluluğunu uzaktan seyrederek yaralarını sarmayı da öğrenmek gerekir...

Anmaktı ismini muradım, aşiyan yüreğinin damar damar atışlarında. Ağlatmak değildi matlubum. Oysa sen her harfte bir gözyaşı döküyordun, güneş içinde devran ederken tir tir titriyordun. Ey aşk! Sen kavur kavur yakandın, peki sol yanım neden üşüyor?

Sen nasıl bir pınarsın Mevlâna'm,
içtikçe daha çok susuyorum.

Mevlâna'ya yorgun olduğumu, yola dayanacağımı ama dönmekle iyi mi yapıp yapmadığımı sorgularken belki olur da vazgeçerim dönmekten diye Sultan Veled'i beni alması için Şam'a yollamasını yazdım.

Mevlâna; mektubumu alır almaz, oğlu Sultan Veled'i çağırarak:

— Durma! Şam'a git, şeyhimizi al getir, der.

Sultan Veled, hediyeler ve yirmi kadar müridiyle Şam'a hareket etmiş. Babası kadar, beni seven Sultan Veled bu zahmetli yolculuğa canla başla katılmış, durup dinlenmeden yol almış. Bir an evvel Şam'a varabilmek, beni bulup Konya'ya getirebilmek için çırpınıyor yirmi kişi. Yollarda, hemen hemen hiç konaklanmamış, dağlar bayırlar gece gündüz demeden aşılmıştır.

Nihayet Şam şehri görünmüştü dostun elçilerine. Şam'da Cebel-i Salihiyye hanında kalıyordum. Odada Hıristiyan bir delikanlı ile satranç oynamaktaydım. Kapım üç kez vuruldu. Açıldı sinem. Açıldı kapı kilidim. Sultan Veled ve yanında birkaç genç derviş. Usulca içeriye girdiler. Tıpkı avcının ağına düşmüş bir maral gibi ürkek ve tedirgindiler. Çıt yok. Selam yok. Zaman donmuştu. Gelenler pencereden süzülen gölgelerdi sanki. Bekleştiler. Benim tepkimi bekliyorlardı. Onlar odada yokmuş gibi davranıyordum. Kilimin üzerindeki çarığımı eline aldı Sultan Veled. Çarığın yönünü Konya istikametine çevirdi. Heyecanlı yüreği ellerini titretiyordu. Gözüne baktım gözleri ağlamaklı, ha boşaldı ha boşalacak. Diğer derviş keseden altınları avucuna, avucundan da çarığın içine boşalttı. Kalktım divandan. Geri çekildiler. Suç işlemiş mücrimler gibi geri geri yürüyerek. Yüzleri yere eğik, sırtları kapıda. Edepten bana sırtlarını dönmüyorlardı...

Altınları pencereden aşağı saçtım. Halk hanın girişine toplandı. Mevlâna bana ne kadar hediye gönderdiyse fakir fukara halka dağıttım. Kolumu sonuna kadar açtım. Sarıldık evladımla dakikalarca, o ağlıyordu ben ağlıyordum. Koklaştık. Sultan Veled'e dönerek:

— Bana Mevlâna'dan değerli hediye mi olur, Rabbim yılların ve yolların çilesine dayanma mükâfatı olarak babanı karşıma çıkardı. O ne güzel bir lütûfdur bilene, dedim. Odadaki diğer dervişler ve kapı önünde atların başında bekleşen dervişler elime kapanarak:

— Bizleri de bağışla Şeyhim. Senin kutbunu görmeyen gafil gözlerimizden ne kadar yaş akıtsak nafile. Dervişler bir yandan elime kapanıp öpme yarışında diğer yandan ağlayarak dizlerini vuruyorlardı. Şam halkı gördüklerine anlam vermeye çalışadursun:

— Haydi, düşelim yola, yol uzun, maşuku bekletmeye gelmez.

Beklenmedik gidişimin ardından neler yaşandığını az çok tahmin ediyordum. Sultan Veled dönüş yolculuğumuzda istirahata çekildiğimizde anlatıyordu neler olup bittiğini dediğine göre. O sabah dergâhtakiler gök gürültüsünden daha çok etkileyici bir sesle yataklarından fırlamışlar. Avluya çıktıklarında o da ne, üstünü başını yolan, elbiseleri taş zemine fırlatan Mevlâna "Nerede, Şems'im. Nerede, ona ne yaptınız" diye bağırmış, ağlamaya başlamış. Ayakları yalın, destegül gömleğini yırtmış, taş zemine diz çökmüş, yarı baygın, yarı uyanık yüksek sesle hâlâ bağırıyormuş. "Vicdansızlar! Hayırsızlar! Nihayet muradınıza erdiniz. Yarenimi kaybettim. Ben nasıl yaşarım şimdi?" Sultan Veled babasına sarılıp birlikte ağlamışlar. Avludaki meraklı kalabalık çoğalınca babasını yerden kaldırıp odasına götüren Sultan Veled, bir yandan yanağındaki yaşlarını silerken babasının, diğer yandan da teselli için "Üzülme, harap etme kendini can babam, candaşını bulacağım sana" demiş. Sultan Veled'in çabaları ile zar zor odasına çekilen Mevlâna gün boyu baygın uyumuş. O günden sonra odasından Cuma namazları haricinde pek çıkmamış. Kederli hali ile gün be gün yemeden içmeden kesilir olmuş. Teselliyi neyzenin tepesinde, Selahaddin Zerkubi'nin sohbetinde bulmaya çalışmış. Söz Zerkubi'den açılmışken birkaç kelâm da ondan bahsedelim:

Selahaddin Feridun, Konya köylerinden birinde doğmuştu. Konya'ya gelip yerleşmiş, orada kuyumculuk sanatını öğrenmiş, bir dükkân açmış, rızkını temin ediyordu. Dindar ve faziletli bir kişi olan Selahaddin, Mevlâna'nın babasının aziz dostu ve halifesi Seyyid Burhaneddin'e intisap etmiş, ahlâkı, ibadete düşkünlüğü ile sufilik yolunda hayli ilerlemiş ve şeyhi Seyyid Burhaneddin'den icazet alarak, şeyhlik makamına yükselmişti. Şeyhi, bu temiz kişiyi, bu Hak âşıkını çok severdi. Gerçekten de Selahaddin ümmi, yani hiç okuma yazma bilmiyordu; ama muttaki, ibadetine çok düşkün, çok nurlu bir mümindi. İlahı aşka gönlünü vermiş, birçok haller elde etmişti. Selahaddin-i Zerkubi yani Kuyumcu Selahaddin, şeyhi Seyyid Burhaneddin Kayseri'ye gidince, köyüne dönmüş, orada evlenmiş, çoluk çocuk sahibi olmuştu.

Bir cuma günü tekrar Konya'ya dönmüştü. Cuma namazı kılmak için, Ebu'l-Fazl Camii'ne girmiş. Namazdan sonra Mevlâna vaaza başlamış. Mevlâna çok heyecanlı, çok güzel konuşuyormuş. Mevlâna o günkü vaazında, şeyhi Seyyid

Burhaneddin'in hallerinden, faziletinden, aşkından bahsetmiş. Kuyumcu Selahaddin can kulağı ile Mevlâna'yı dinlerken, birdenbire Mevlâna'nın zatında, büyük bir nur gibi şeyhi Seyyid Burhaneddin'i görmüş. Sanki Mevlâna gitmiş, yerine Seyyid Burhaneddin gelmiş, oturmuş, heyecanlı, güzel sözler söylemektedir. Selahaddin hazretleri, kendine hâkim olamaz, ayağa kalkar, deli gibi feryad ederek Mevlâna'ya doğru koşar. Mevlâna'nın vaaz ettiği kürsünün altına gelir ve Mevlâna'nın ayaklarına kapanır. Bu bilgileri dervişler bana anlattı.

Selahaddin-i Zerkubi, Hazreti Mevlâna'yı çok seviyordu. Ona derin hürmeti vardı. Çünkü her ikisi de aynı şeyhten Burhaneddin-i Tirmizi'den feyz almışlardı. Mevlâna da, Şeyh Selahaddin'i çok seviyordu. Ona lütuflarda bulunmaktan geri kalmıyordu. Fakat benim gelişimle birlikte Mevlâna'nın gözü benden başkasını görmeyince Selahaddin geri plana çekilmenin burukluğu ile bana buğzeder hale dönmüştü. Ben onun için de birçok soru işareti idim.

Mevlâna, kendisini sevenlere: "Selahaddin'in yanında Şems'ten, Hüsameddin'in yanında da Selahaddin'den konu açmayın, bunların aralarında bir fark yoktur amma, bu iş edebe sığmaz. Erenlerde, ilahi kıskançlık vardır" derdi. Selahaddin hazretlerinin de Mevlâna'ya karşı bağlılığı sonsuzdu. Bir gün Mevlâna'ya "İçimde nur kaynakları varmış da haberim yokmuş. Sen onları keşfettin, coşturdun." demiştir.

İşte benim Konya'dan ansızın kayboluşumun ardından perişan olan Mevlâna, az da olsa teselliyi Selahaddin ile birlikte dolaşıp hasbıhâl etmekle avunuyormuş. Dergâhtan sadece Cuma namazını İplikçi camisinde kılmak için çıkan Mevlâna, Selahaddin'in kuyumcu dükkânının önünden geçerken, onun ahenkli çekiç vuruşundan heyecanlanmış, cezbelenmiş, hemen orada sema etmeğe başlamış, Selahaddin de onun bu halini görüp, çekiç altındaki altının ezilip zayi olacağını düşünmeden vurmaya devam etmişti. Daha sonra dükkânından çıkan Selahaddin, Mevlâna'nın bu mutlu sema halini görünce:

— Allah'a hamd olsun, Pirimiz mutlu günlerine döndü. Ey ahali handaki dükkânlarım, dükkândaki mallarım size feda olsun. Pirimin canı için ne dilerseniz alın, diyerek semaya eşlik eder, sema bitince dükkân komşuları:

— Sen ne yaptın Selahaddin? Halk yağmaladı dükkândaki, handaki malını, battın be adam?

— Dünya malı dünyaya köle olanların olsun. Şu gözler Mevlâna'mızı mutlu gördü ya, bahşiş olsun bütün malım onun mutluluk müjdesine.

Konyalılar, Mevlâna'nın Kuyumcu Selahaddin'e gösterdiği sevgiyi, saygıyı da çekemediler. İlahi aşktan nasipsiz olanlar, ibadetle, riyazet ile, heva ve heveslerini yenemeyenler, beni çekemedikleri gibi şimdi de Kuyumcu Selahaddin'i çekemiyorlardı. İnkârcılar diyorlardı ki:

— Birinden kurtulduk, (yani Şems'ten) daha beterine çattık. Önceki nurdu, bu ise kıvılcım. Şems'in sözü dinlenirdi. Anlatışı güzeldi. Faziletli, bilgili bir kişi idi. Çok anlamlı sözler yazdırırdı. Keşke Mevlâna'ya o hemdem olarak kalsaydı.

Mevlâna, sevdiği dostları ile sevgi bağını güçlendirmek için akraba olmayı severdi. Selahaddin'in kızı Fatıma Hatun'u, Sultan Veled ile evlendirdi.

Sırra kadem basan gidişimin yankılarını dönüş yolunda anlatmaya devam etti Sultan Veled. Onu dinledikçe içimden bir şeyler dökülüyordu, benim de bilemediğim şeyler.

Gidişime Mevlâna kadar incinip üzülenler bir elin parmağı kadar tutmaz. Selahaddin, Hüsamettin, Ateşbaz, Sultan Veled ve kendisini hiç görmediğim; ama beni uzaktan uzağa gözlemleyen Kimya Hatun.

Genç dervişler, camii imamları, Konya'nın şeyhleri, aşktan korkan mollalar gidişimle bayram sevinci yaşamışlar. Ne tuhaf Konya'da hem bayram sevinci yaşanıyor hem matem havası hâkim. Ben neymişim de haberim yokmuş.

— Halktan bana ne. Sen dergâhı anlatmaya devam et. Sultan Veled'im.

— Sır gidişinin ardından dergâh kabir sessizliğine büründü. Babam annemi bile görmez oldu acısından. Annem hem mahcuptu, hem mahzun.

— Babam kimse ile konuşmuyor, her şeyden el etek çekmiş bir meczup haline gelmişti. Kâh sokaklarda seni arıyor gün boyu, kâh gece avluya çıkıyor gelirsin umuduyla dolaşıp duruyordu yalınayak, üst baş yırtık. Onun bu halini gören müritler nedametlerinden dolayı babamla göz göze gelmekten korkuyorlardı. Kendilerini suçluyorlardı. "Onu bu hale Şems değil, Şems'i inciten bizler getirdik" diye.

Baktı ki günler sonrası senin dönüş umudun tükeniyor, babam sokaklara çıkmaz oldu. Halka kapısını kapattı. Kendisini her şeyden tecrit etti. Topuğundan kan gelene kadar taşın üzerinde sema ediyor, dizlerinin bağı çözülüp yere yığılana kadar namaz kılıyordu. Bazı geceler "Âh! Şems gibi ben de bu evden kaçabilseydim" diye bağırıyordu.

— Yeter Sultan Veled! yeter!, diye susturdum. Mola yerinden epey uzak bir yere gittim. Toprağı avuçladım. "Söyle ey toprak buradan Mevlâna geçti mi?" diye ağladım, ağladım…

Konya kaygılı… Sancılı kanatları ile örtüyordu gece sokakları. Halkta huzursuzluk… Pişmanlık tütüyordu evlerde. Mevlâna açlık direnişindeydi. Visal oruçlarını üç güne bir iftardan yedi güne bir iftara çıkarmıştı. Bedeni yıpranmış, hastalanmış, yatağa düşmüştü. Sultan Veled'in ısrarı ile hekimin muayenesi-

ne razı oluyordu. Ateşbaz ne pişirirse pişirsin yemiyordu. Öl-
mek istiyordu sadece ölmek. Bunalımına ölümün soluğu ile
son vermek. Selahaddin pencere önünden, Hüsamettin kapı
önünden ne kadar dil dökerse döksün nafile. Kimse ile görüş-
mek istemiyormuş artık. Sultan Veled'in kendi eliyle yedirdiği
birkaç dilim ekmek ve ekşimiş yoğurtmuş haftada bir boğazın-
dan geçen.

Halk bakmış ki Mevlâna iyiden iyiye aralarından gidecek
"Eh ne yapalım Mevlâna'mız için Şems'i bulalım, bulduralım"
diye Hüsamettin'i aracı kılarak Mevlâna ile görüşmeye karar
vermişler. Bana muhalif olan herkes, bana söven her kem söz-
lü, beni zındıklıkla itham eden mollalar birlikte Mevlâna'ya ge-
lip "Şems'i anlamamışız, bizleri bağışla, sizleri tekrar kavuştur-
mak için varımızla yoğumuzla ayırt edeceğiz, yeter ki sen tek-
rar aramıza çık. Çarşıda pazarda ara sıra gözük kâfi. Bağışla bizi
Mevlâna." demişler. Bu özürler, bu arzuhal Mevlâna'yı bir nebze
de olsa ayağa kaldırmış ve mektupları yazmaya başlamış.

Sultan Veled, babasını ayakta tutan tek umudun benim
Şam'dan dönüşüme bağlı olduğumu bildiğinden Mevlâna ta-
kattan kesilmesin diye, Şam'a gelirken geliş yolundan sık sık
"Şems'i bulduk, bulmak üzereyiz, beraber dönüyoruz" diye ha-
berler yollamış.

Dönüş yolunda gözümde tüttü bozkırın can baharı, Konya
Ovası'nın kar beyaz nuru.

Her gittiğim yerde yalnızdım. Gölgesizdim. Geceleri uy-
kusuzdum. Gündüzleri kalabalık sokaklara kapalıydım. Ya kan
odasında bağdaş kurmuş, diz çökmüş zikirdeydim ya bir ağa-
cın altında güneş batana, herkes evine çekilip sokaklar boşa-
lana kadar tefekkürdeydim. Yalnızdım. Kendimi hatıralara ve-
remeyecek kadar yalnız. Acı, hassasiyetini kabuklaştırır insa-
nın. Acı, alışkanlığa dönüşür bir müddet sonra. Tatlı rüyalar-

dan hoştur yalnızlığın acısında, acının göbeğinde kalmak. Artık yakarak değil yanarak, hiç değilse tüterek yaşıyorum. Altmış sekizine gelmiş bir çınarım, köklerim çölleri sarmış, gövde kabuk dökmüş dallarımın bir ucu Konya'da, diğer ucu Şam'da içten içe çürüyen bir çınar. Yıllardır içimde büyüttüğüm sükût uçurumlaşıyor.

Arkamdan ne düşündüklerini önemsemiyorum. Yaşadığım çağın insanları da beni anlamadılar, çağın kalemleri de. Ben Konya'dan kaçmadım. Ben kaprisli değilim, kimseye de gücenmedim, küsmedim.

Bana kin besleyen yürekler vardı. Bana küfreden diller. Bana karşı "Fetiyan" denilen genç dervişleri kışkırtıyorlardı. Gençlik, kanın akışını hızlı tutar. Gençler deli heyecanlıdır. Sloganlarla hareket ederler. Bu genç dervişler bana diş bileye dursun karşıma çıkarak cesaretten mahrumdurlar. Bakışımdan korkuyorlardı. Gündüz köpük köpük kabarıyorlardı. Akşama sönüyorlardı.

Dicle kenarında yol alıyoruz. Kafileye seslendim:

— Duralım biraz... Akan suyun şırıltısını dinleyelim. Masmavi bir gökyüzünün altında koşup bir ağaca sarılalım, ve Allah'a yalvaralım. Yaptığımız bütün hataların bağışlanması için. Aşk için ağlayalım. Aşka ağlayalım. Aşkla ağlayalım. Gözyaşımızla sulansın topraklar.

Sırtımdaki çantayı atın üstüne yükledim. Yere eğildim. Bir avuç toprak aldım. Kokladım. Kokladım... O en uzun yolculuğa başladım içimde. Toprak çorak... Uzakta tek bir dağ, zirvesi karla kaplı...

Daldım bir an gençliğime... Yanımdaki tek canlı eşeği hatırladım. Bir de meşe ağacı altındaki tabutu. Gece o tabutun içinde uyurdum. O uyku anının içinde ölüm kadar sessiz. Kendi tabiatımın zikrinin, kâinatın zikri ile o muhteşem uyumunu his-sediyorum uykularda. Bu tek bir anın içinde gördüğü rüyanın belki bütün hayatı olduğunu düşünüyorum uyanınca...

— Efendim iyi misiniz? İsterseniz burada mola verip din-lenebiliriz.

Sultan Veled'in sesi ile başımı kaldırdım topraktan ve ona doğru yaklaşarak sağ elini tuttum.

— Evlat! Getir parmaklarını sol yanıma koy.

Sessizlik... Sessizlik...

— Sessizlik en güzel dinlenmedir. Sözlerden yoruldum. Kelimeler nefes olup çıkmazsa ağzından susarsın. Ucu buca-ğı olmayan bir tabiatın içinde tek bir kelimeyi beklersin tek-rar yaşanan ana dönmek için. Seni anlayan bir söz yaklaşır ni-hayet. O tek bir kelime Allah'ın güzel ismiyle, kalbin yeniden çarpmaya başlar. Yazının harfleri, insanın nefesi. Bu yüzden Kur'an-ı Kerim okuyunca nefes alıyor insan. Şu ağacın altında biraz Kur'an okuyalım mı?

— Olur efendim.

Sessizce öne eğdim başımı. Ağaçlara sarıldım. Ağlama-ya başladım. Sonra abdest aldım ırmağın serin suyu ile. Ağla-maklı halim devam ediyordu. Gözyaşlarım ırmağın suyuna ka-rışıyordu. Islanan ırmak mı, ırmak mı ıslatandı beni belli değildi. "Mevlâna" dedim, hıçkırıklarla "Mevlâna'm"...

Uzun dönüş yolunda Sultan Veled ile bolca hasbıhâl edi-yorduk. Kâh atın üzerinde giderken, kâh namaz molası için bir bahçede durakladığımızda. Halep'e gelmiştik. Her yer gözün alabildiğince yeşillik. Bağ bahçe bahar coşkusunda. Ben bir an önce Mevlâna'ma kavuşma arzusundayım. Namaz için bir bah-çede durduk. Abdest alıp namaza duracaktık. Sultan Veled'in imam olmasını istedim.

— Aman efendim size imam olursam ayaklarım dayanmaz bayılırım.

— Sen Mevlâna oğlusun artık imamet günün geldi geçiyor bile, haydi kametin benden.

Namazdan sonra yalnız kalmak istediğimi söyledim ve bahçeyi gezintiye çıktım. Gün boyu kırlarda gezindim durdum, hava kararmaya başlamıştı. Güneş ışıklarını bahçeden çekip alırken ve ay, kuş tüyü ışıklarını çiçeklerin üstüne sererken, ben ağaçların altında oturup çalıların arasında mavi bir halı üzerine serpilmiş gümüş pullar gibi parıldayan yıldızları seyrederken, gökyüzünün ne kadar olağan üstü olduğunu düşündüm. Bu arada uzaklarda bir yerde çağlayarak kendine vadide yol açan bir dereciğin heyecanlı homurtularını duyuyordum.

Ağacın altında uyuyan tabiatı seyrederken dalmışım. Rüyamda bir kafes içinde ölü bir kuş gördüm. Gözlerimin önünde kafesin ansızın bir insan iskeletine, ölü kuşun da kederli bir kadının dudaklarına benzer derin bir yara yüzünden kanamakta olan bir insan yüreğine dönüştüğünü izledim. Yara konuşarak, "Ben insan kalbiyim, maddenin esiri, dünyevi kuralların kurbanı", dedi.

"Allah'ın güzellikler tarlasında, yaşam ırmağının kenarında, insan tarafından konulmuş kurallardan yapılmış bir kafese hapsedildim. Güzel yaratılmışlığın tam ortasında bakımsızlıktan öldüm. Allah'ın cömertliğinin, özgürlüğünün keyfini çıkarmaktan alıkonuldum. İnsan kavrayışına göre içimde aşk ve tutkuyu uyandıran güzellik adına her şey bir rezillik; onun yargılamasına göre yanıp tutuştuğum her iyi şey beyhude." Ben, insanın emrettiklerinin iğrenç zindana kapatılmış, kayıp bir insan yüreğiyim, dünyevi yetkinin zincirlerine vurulmuş, dili tutulmuş ve gözleri belirgin yaşlardan yoksun, gönlünü eğleyen insan tarafından unutulmuş, ölü bir yürek.

Sultan Veled'in:

— Efendim vakit epey gecikti, hava da serinledi hastalanmayasınız sesi ile uyandım.

— Haklısın evladım, artık usul usul yola koyulalım. Neden daha önce uyandırmadınız beni.

— Öyle güzel uyuyordunuz ki kıyamadım, üstelik başınızın üzerinde nur gölgelerden çekindim.

— Gördüğünden kimselere bahsetme olur mu?

— Tamam efendim.

— Biliyor musun evladım, insanoğlu her türlü dünyevi şeylerle meşguldür ama ben hep, ateşiyle beni arındırsın ve acımasızlığı yüreğimden silip atsın diye, aşkın meşalesine sarılmaya çabalamışımdır.

Bir keresinde avucuma sis doldurdum. Sonra açtım ve işte sis, bir solucan olmuştu. Sonra bir daha yumdum ve açtım avucumu ve orada bir kuş duruyordu. Avucumu bir daha yumup ve açtım ve bu sefer içinde insan vardı, yüzünde hüzün. Derken bir daha yumdum avucumu ve tekrar açtığımda orada sisten başka bir şey yoktu.

— Pirim merak ediyorum, siz Konya'dan ansızın gittiniz ya, kalmak mı zor, yoksa gitmek mi?

— Konya bana, "Beni terk etme, zira burada geçmişin ikamet ediyor", diyor. Ve yol bana, "Gel beni izle, çünkü ben senin geleceğinim", diyor. Ve ben her ikisine de, "Benim ne geçmişim, ne de bir geleceğim var. Burada eğleşip kaldığım takdirde, kalışımın da bir gidişi, gidişimin de bir kalışı vardır. Yalnızca aşk ve ölüm her şeyi değiştirecektir." diyorum.

Dönüş yolunda devam ediyoruz. Karlı zirvesi ile Erciyes

dağı gözüktü. Yolun çoğu bitmişti. Konya'ya ne kadar kaldı şurada diye seviniyoruz. Kayseri'de bir hana uğradık. Hamamda yıkandık. Namazlarımızı kılmak için camiye gidiyorduk. Dervişlere:

— Namazı camide değil, Hamuş'umun hocası Seyyid Burhaneddin'in makamında kılacağız.

— Hocasının kabrini ziyaret edip dua okuduğumuzu duyunca babam çok sevinecek.

— Seyyid Burhaneddin'i çok sevişimin özel nedeni, babanın hocası olmasından çok, sultanlara karşı onurlu duruşudur. Babanı bu konuda eğitmesi de harika olmuş.

— Bunu bilmiyordum. Şeyh sultanlardan uzak mı durmalıdır?

— Bir şeyhin asla bir sultanın konuğu olmaması gerekir. Bir sultanı ziyaret etse bile sultan onun misafiridir. Şeyh ancak ve ancak sultanı eğitmeye ve ona iki cihanda kâr getirecek şeyler öğretmeye gider, ondan bir şeyler almaya değil. Bir şeyh bile para, ün ve güç belalarının kendini baştan çıkarmasından korumalıdır. Bu hususla ilgili yaşanmış bir hikâye anlatayım:

Sultanın birisi dergâha ziyarete gelmiş. Dergâhtaki yaşantı ve dervişlerin hali çok hoşuna gitmiş. Dergâha birkaç kez daha ziyarete geldikten sonra sultan, şeyhe:

— Buraya yaptığım ziyaretlerden, sizden ve dervişlerden tamamıyla etkilendim ve memnun kaldım. Yapabileceğim ne varsa, her şekilde, size destek olmak istiyorum. Lütfen benden herhangi bir şey isteyin.

Şeyh cevap verir:

— Evet, sultanım, benim için bir şeyler yapabilirsiniz, lütfen bir daha buraya gelmeyiniz.

— Şok olan sultan:

— Herhangi bir kusurda mı bulundum? Tasavvufun bütün inceliklerini bilmiyorum ve sizi herhangi bir şekilde kırdımsa çok üzgünüm, af buyurunuz, demiş.

— Hayır, hayır demiş efendi. Bizi hiçbir şekilde kırmadınız. Fakat mesele sizden değil, benim dervişlerimden kaynaklanıyor. Siz gelmeden önce Allah'ın Esma-i Hüsna'sını sadece O'nun rızası için zikrediyorlardı. Şimdi zikir ve meşklerde sizi düşünüyorlar. Hayır sultanım. Mesele siz değilsiniz, biziz. Korkarım ki sizin buradaki varlığınızı kaldıracak manevi olgunluğa sahip değiliz. İşte bu yüzden bir daha gelmemenizi istemek zorundayım.

Seyyid Burhaneddin'in mezarına geldik. Namazımızı kıldık. Dualar okuduk. Beni kabrin başına yalnız bırakmalarını tembihledim. Celaleddin'i riyazette yetiştirmek için gayret gösteren bu Hak aşığı ile hasbıhâl etmeyi çok isterdim.

Mevlâna'nın babası Bahaeddin Veled vefat ettiğinde Horasan'da olan Burhaneddin'in ilmî bir sohbet esnasında kalabalığın içinde birden ayağa kalkıp bağırarak şöyle konuştuğu rivayet edilir:

"Yazık, şeyhim toprak aleminin mahallesinde temiz cihana hicret etti." Seyyid Burhaneddin artık Horasan'da kalamayacağını, şeyhinin yadigârı Mevlâna'ya karşı bir irşad vefakârlığı göstermek zorunda olduğunu ifade ederek Anadolu'ya hicret etmeye karar vermiş.

Seyyid Burhaneddin, Mevlâna'yı çeşitli ilimlerden imtihan ederek onu, "kaal" (söz) bilgilerinde eğitilmiş buldu. Mevlâna'ya: "İlme'l yakin olarak babandan yüz mertebe ileri geçmişsin, fakat baban hem kaal ilminde kemâldeydi, hem de hâl ilmine vâkıftı. Ben isterim ki ilme'l yakinde olduğun kadar Hakka'l yakin ve Ayne'l yakin mertebesine de vasıl olasın... Arzu ederim ki, bu mertebelere ancak sofilik yoluyla başlayasın, şeyhimden bana erişen o mânayı sen benden hasıl eyleyesin." dedi. Böylece Burhaneddin, Mevlâna'ya öğretmeni olma teklifini iletmiş oldu. Mevlâna, bu teklifi kabul ederek Burhaneddin'in müridi olur.

Şeyh Burhaneddin, öğrencisi Mevlâna'yı riyazet vasıtasıyla kendi nefsi ile cihada teşvik etti. Varlığın darlığından, gamın, tasanın kaynağı olan paslardan kurtulmak, sevinç pınarı, hoşluk cihanı olan gösterişsiz fezalardan kendi can kuşunun kolunu, kanadını açabilmek, ebedî dirliğe kavuşmak için kendisini özü gibi ona teslim etti. Seyyid Burhaneddin, Mevlâna'ya hamlık döneminde şeyhlik yaptı. Kâmil, arif Burhaneddin'in kılavuzluğu ile Mevlâna baştan ayağa nur'a, feyze boyanmış.

Seyyid Burhaneddin Konya'da uzun bir süre kaldıktan sonra, Kayseri'ye dönmeye niyetlenir. Bunu birkaç defa da Mevlâna'ya açar. Ancak Mevlâna ona:

"Ben sensiz, hayattan tat alamam. Benim şeyhim, benim yanı başımdan ayrılırsa, bu hayat çekilmez olur..."

Seyyid Burhaneddin, birkaç defa aynı şekilde istekte bulunursa da, Mevlâna hepsinde yukarıdakine benzer sözlerle onun Kayseri'ye dönmesine engel olur.

Nihayet Kayseri'ye dönüş isteği Seyyid'de bir hasrete dönüşür ve bir gün Mevlâna'nın dostlarıyla çıktığı bir bağ gezisinde, kimseye haber vermeden Kayseri'ye doğru yönelir.

Konya'dan ayrılıp kendisini bağlara götüren uysal binek hayvanı, Kayseri'ye yönelince huysuzluk yapmaya başlar ve sonunda, Seyyid Burhaneddin'in kontrolünden çıkarak onu hırsla sırtından yere atar.

Hayvanın sırtından düşen Seyyid Burhaneddin'in ayak

parmakları kırılır ve bacağı incinir. Arkadaşları olay yerine ge - lir ve hayvanı yakalayarak tekrar sırtına bindirirler. Seyyid binmemek için ısrar ederse de, meseleyi bilmeyenler onu ısrarla hayvanın sırtına oturturlar. Biraz önce Kayseri'ye yöneldiği için Seyyid Burhaneddin'i sırtından atıp ağır yaralanmasına sebep olan hayvan, bu defa Konya'ya doğru dönünce uysallaşır ve arkadaşları onu bir dostunun bağına indirirler. Orada ayağını sarıp Konya'ya dönerler.

Seyyid Burhanedin, Mevlâna'nın yanına gelince sitem eder ve şunları söyler:

— Aferin ne güzel mürit(!) Şeyhinin ayağını kırıyor.

Mevlâna Seyyid Burhaneddin'in başına gelenlere üzülmüştür. Hemen elini onun kırılan parmaklarının üzerine kor, dua eder ve Seyyid Burhaneddin'in ağrıları dinerek ayağının kısa zamanda iyi olmasını sağlar. Bu defa Kayseri'ye dönmesine müsaade eder.

Böylece Seyyid Burhaneddin yol azığını, binek hayvanını alır helâlleşip Konya'dan ayrılır ve Kayseri'ye döner.

Evet, şu anda maşukum Mevlâna'yı benim gelişime hazırlayan güzel insanın kabri başındayım. Dualar ile kendisini selamladıktan sonra mezarından elime bir avuç toprak alıp koklayıp, koklayıp öptüm.

— Ey âşık Seyyid. Bir zamanlar taleben olan eserine şimdi maşukum, ben onun aşkının esiriyim. Ne hoş bir öğrenci yetiştirmişsin, diyerek oradan ayrıldım. Sultan Veled ve kafile tekrar yola düştük.

İnsanlar maşuk aramıyor, bencil duygularına köle arıyor.
Köle buluyor ama aşkı bulamıyor.

Kafile ile Nevşehir'de bir üzüm bağında mola verdik. Sultan Veled her zamanki iştahı ile benden bir şeyler öğrenmek için heyecanlı sorularına devam ediyordu.

— Pirim, tasavvufu nasıl görüyorsun?

— Tasavvuf, aşk mezhebidir. Tasavvuf Allah karşısında yoksul olmaktır. O'nun karşısında yoksul ve aciz olmak, O'na muhtaç olduğumuzu kabul etmektir ve bu kabul ne kadar içten ve ihlâslı olursa, sevgiliye erişme konusunda o ölçüde şiddetli bir dürtüye dönüşür.

— Şeyh necedir, derviş kimdir?

— Şeyh ile dervişi arasındaki ilişki bir salkım üzüm ve bu salkımın bağlı olduğu dal arasındaki ilişki gibidir. Şeyh üzümleri ağaca, gövdeye, köke bağlar. Gözler ruhun aynasıdır. Şeyhler öğrencilerinin gözüne bakarak onların içini okurlar. Bir şeyhin bakışları son derece kuvvetlidir. Her cübbe giyen veya göze hoş gelen sıra dışı şeyler takan kişi şeyh değildir. Fakat bir şeyh bulduğunuzda yapılacak şey Allah'ın isteği doğrultusunda ona tabi ve teslim olmaktır. Çağır şu dervişleri de size bir hikâye anlatayım:

İkindi vakti öncesi abdest almak için avluya çıkan şeyh, dervişin tekinden bir ibrik su ister. Derviş getirir. Yere çömelmiş abdest almaya başlayan şeyh bir yandan da bahçedeki dervişleri gözlemek için sağa sola bakmakla meşguldür. Su döken derviş bakar ki şeyh elini yıkarken bazı yerleri kurudur. İçinden:

— Bir de bize mürşit olacak. Doğru dürüst abdest almayı bile beceremiyor diye geçirir. Bakışları alaycı ve suizancadır. Şeyh kafasını dervişe doğru kaldırır. Dervişin bakışlarını yakalar, aklından geçenleri okur.

— Evlat sen bize yaramazsın, akşama kalmadan dergâhımızı terk et, der.

Derviş şeyhi için böyle yanlış bir düşüncede olduğu için bin pişmandır; ama nafile, kovulmuştur artık. Akşam arkadaşları ile helâlleşerek ıssız bir dağ yamacındaki dergâhtan ayrılır. İyi de, nereye gidecektir. Ne ailesi vardır, ne gidecek bir memleket. Deli divane, dağ tepe yürür. Yorulmuştur. Acıkmıştır. Hava iyice kararmıştır. Nereye gideceğim, ne yapacağım, diye düşünürken uzakta bir ışık görür. Işığın geldiği tarafa yürür. Ağaçların altında çoban, ateşin üzerinde yemek pişirmektedir.

— Selamün aleyküm.

— Aleyküm selam.

— Allah misafirine aşın, ekmeğin var mıdır?

— Vardır, hele otur şöyle.

Çoban, gelen yabancıyı süzer. Gece vakti ormanda yalnız dolaşan bu adam necidir? Tüccar değil, asker değil. Üzerinde derviş kıyafeti var. İyi de bir derviş bu vakitte ne geziyor dağ başında. Dervişler dergâhtan akşamları dışarı çıkmazlar ki diye düşünür.

Derviş olup bitenleri anlatınca çoban onun haline acır ve:

— Şu karşıdaki dağın arkasında bir şehir var. İsmi Eyvallah

şehridir. Oraya git. Ne alırsan al, eyvallah dedikten sonra ücretiz, bedava.

— Ne yani para pul istemiyorlar mı?

— Eyvallah diyene her şey bedava.

Derviş kendisi ile dalga geçildiğini düşünür. Çoban devam ile:

— Yalnız eyvallah şehrinin üç kuralı var. İhlâl edersen o kuralları, şehirden atılırsın!

— Nedir bu kurallar?

— Bir, kulun işine karışmayacaksın. İki, Allah'ın işine karışmayacaksın. Üç, asla yalan konuşmayacaksın.

— Kolaymış, ben zaten dergâhta eğitim aldım, bunlar basit kurallar ihlâl etmem.

Sabah çekine çekine şehre giren derviş çobanın doğru söyleyip söylemediğini anlamak ister. Hamama girer. Yıkanır. Kasaya yanaşır. Sağ elini sol göğsüne koyarak "eyvallah" der. Kasa başındaki hamamcı da "eyvallah" diye karşılık verir.

— Borcum ne?

— Eyvallah kardeş borcun yok, eyvallah dedin ya.

Derviş şaşırır. Bir yandan da seviniyordur. Fırına girer yine aynı muamele "eyvallah" diyenden para alınmıyor. Derviş içinden "İyi ki dergâhtan kovulmuşum, bu şehirde her şey bedava padişah gibi ne güzel yaşarım" der.

Aradan bir ay geçmiştir. Bizim derviş halinden memnun. Bir arkadaşına gelir.

— Aile kurmak istiyorum. Bir kadın ile evlenmem için ne

yapmam gerekir?

— Eyvallah de.

— O da mı eyvallah ile?

— Tabii. Yarın köle pazarı kurulur. Erken git pazara. Acem, Arap, Hint, Rum ne ararsan her milletten güzel kadınlar vardır. Beğendiğini seç. Satıcıya eyvallah de yeter.

Derviş denileni yapar. Evlenir. Aradan bir hafta geçer. Derviş çarşıda dolaşmaktadır. Karşısından biri genç diğeri yaşlı iki kadın gelmektedir. Genç olanın saçı, başı her yeri açıktır. Diğer kadın çarşaflı, sadece gözleri görünen yaşlı bir kadındır.

Derviş:

— Şuna bak ya diye bağırır.

— Şuna bak... Örtünmesi gerekenin her yanı açık saçık. Örtünüp örtünmemesi fark etmeyen yaşlı kadının ise her yeri kapalı. Bu nasıl iştir. Niye böyle açık giyindin be kadın, der.

— İmdat zaptiye! diye bağırınca genç kız, zaptiyeler gelir.

— Ne vardı?

— Bu adam kulun işine karıştı.

Bizim dervişe karakolda on dayak atılır. Karakoldan çıkınca yediği dayağın acısından çok, bir kulun hatasını uyardığından dolayı şikâyet edilmesi ve karakolda dayak yemesi içine dokunmuştur. Karakolun dış avlusunda açar elini yüksek ses ile:

— Allah'ım bu nasıl iş? Kullarını uyardım, dayak yedim. Ey Rabbim bu ne biçim iş?

Dervişin söylediklerini duyan birisi:

— Zaptiye! Zaptiye! diye seslenir. Gelen zaptiyeler:

— Ne oldu?

— Şu derviş Allah'ın işine karıştı. Tekrar karakol. Tekrar on değnek daha yer sırtına derviş. Yorgun argın kendini eve zar zor atar. İçeri girip yatağa uzanır. Yarım saat sonra kapısı çalınır. Eşi kapıyı açar. Av arkadaşları gelmiştir. Eşinden evde olup ava gidip gitmeyeceğini sorarlar. Eşi odaya girer.

— Arkadaşların geldi, birlikte dağa, ava çıkacakmışsınız.

— Beyim evde yok de, yok de.

— Zaptiye! Zaptiye!

— Ne vardı?

— Eşim yalan konuşmamı istiyor. Yalan söylüyor.

Derviş zaptiyelerce şehirden kovulur. Üstü başı toz topraktır. Şehre doğru bakar, dizine vurarak:

— Eyvallahın ayarını bilmeyen eyvah, eyvah diye inler.

Arifler hem arıdır, hem arıtıcıdır.

Aksaray'a geldiğimizde hepimiz yorulmuştuk. Bir hana girdik. Sultan Veled dervişin birisini Konya'ya yaklaşmakta olduğumuzun müjdesini vermesi için ulak olarak gönderdi. Hanın balkonunda otururken birkaç derviş etrafıma diz çöküp oturdular. Hallerinden bazı sorular sormak için bir telaş içinde oldukları belliydi. Çekiniyorlardı. Sultan Veled'e danışmışlar "acaba sorularımızı cevaplar mı" diye, o da:

— Tebrizli Pirimizden mahcupluk duymanıza gerek yok. Yolculuğumuz sırasında ne kadar yüce bir insan olduğunu görmediniz mi? Çekinmeden sorularınızı, merak ettiklerinizi öğrenebilirsiniz, demiş.

— Efendim Allah'ı özlemek nasıldır?

— Eğer insanlar Allah'ı özlemek durumunda iseler, Allah'la başka her şey arasında bir ayrıma gidebilmeleri gerekir. İnsanî aşk ve mükemmelliğin anahtarı, yaratıkların karmakarışık çokluğu içinde Allah'ı gören ferasetli bir kalptir. Âdem âşıklara model olur.

Gerçekte aşk, her iki dünyanın parıltısını silip götürmüştür. Kulluk dünyasında, cennet ile cehennemin bir değeri vardır. Ama aşk dünyasında, bunlar bir toz zerresine bile değmez. Seçilmiş Âdem'e sekiz cennet verdiler. O bunları bir buğday tanesine sattı. O, özlem metaını talih devesine yükledi ve gam dünyasına indi.

"Ey Âdem, cennete girmenin sence değeri nedir?"

"Cehennemden korkan biri için", dedi Âdem, "Cennet bin cana değer; ama Sen'den korkan biri için, cennet bir buğday tanesi etmez." O hâlde, Âdem'in cennetten alınmasındaki hikmet onun özlemini açığa çıkarmaktır.

Âdem'i büyük kılan şey emanet yükünü taşımış olması olgusudur ki bu da Allah sevgisidir. Sevginin sınırını yalnız o bildi; zira sevgi onun varoluşunun altında yatan sebepti. Biliyordu ki sevgisi ancak ayrılık acısını tattığında beslenip güçlenebilirdi. Bu yüzden yasak meyveyi yedi.

Eli açıklık ve cömertlik Âdem'i cennete gönderdi; o, orada izzet minderine oturtuldu. Bütün cennet onun emrine âmade kılındı. O, cenneti iyice seyretti; ama aşk ve acının tozuna bile rastlamadı. "Yağla su birbirine karışmaz", dedi.

— Peki efendim, Âdem babamızın affı nasıl oldu?

— Ey derviş! Sanmayasın ki Âdem bir buğday tanesi yediği için cennetten alındı. Allah onu dışarı çıkarmak istedi. O herhangi bir emri ihlâl etmedi. Allah'ın emirleri ihlâl edilmekten beri kaldı. Yarın Allah büyük günah işlemiş binlerce insanı cennete alacaktır. O, bir isyan eyleminden dolayı Âdem'i cennetten kovar mı? Âdem'in düşüşü, aşkın yüzünde hicaptır. Âlemin kendisi bir hicaptır; dolayısıyla onda bulunan her şey de öyledir.

Affa götüren yolun özü aşktır ve tasavvuf da aşk yoludur. Aşkı kelimeler ile tarif etmek çok zordur. Bu, hiç bal görmemiş ve tatmamış birine balın tadını tarife çalışmak gibidir, bu kişi balı bilemez.

Aşk, her şeydeki iyiyi ve güzeli görebilmektir. Her şeye ibret nazarıyla bakıp ders alabilmek, Allah'ın her konudaki lütuf ve cömertliğini görebilmek, ihsan ettiği her şeye şükredebilmektir.

— Aşk yolunda acı çekmek bizi isyana götürürse ne yapacağız efendim?

— Aşk, müthiş bir lezzete sahip özel bir ıstıraptır. Bu acıyı ancak kalbinde taşıyanlar bilir. Bu acıyı taşıyanlar, her şeyde Hak olduğunu ve her şeyin Hakk'a götürdüğünü görürler. Hak'tan başka hiçbir mevcudun olmadığını da bilirler. Bu hakikati idrak sürecinde âşıklar Hak'ta yok olurlar. Hak denizine dalarlar. Aşktan her ne tadarsanız, hangi şekil ve hangi derece olursa olsun, bu ancak ve ancak ilahi aşkın ufak bir cüzü olabilir. Kadın ve erkek arasındaki aşkta bu ilahi aşktan bir parçadır. Fakat bu dünyevi sevgi, aşk ve bu aşka götüren vasıtalar önünde bazen perde olur. Lâkin günün birinde bu perde kalkacak hakiki gaye olan hakiki *Mahbup* bütün ihtişamıyla tecelli edecektir.

Önemli olan, ne şekilde olursa olsun bu aşkı kalpte taşıyabilmektir. Ama sevilmemiz de çok önemlidir. Sevmek, sevilmekten çok daha kolaydır. Fakat âşıksanız hakiki *Mahbup*'a günün birinde mutlaka vasıl olursunuz.

— Aşk meclisinde kim kadehtir, kim şaraptır o hâlde?

— Mürşitler aşkın sakisi, dervişler de kadehtir. Aşk ise asıl şaraptır. Kadehler, yani talipler, sakinin eliyle doldurulurlar. Fakat bu kestirme yoldur. Çünkü aşk insana başka vesilelerle de sunulabilir. Dediğimiz gibi bu en kısa olan yoldur.

Bir keresinde dervişlerimden biri bana, dervişlerin mürşitlerine karşı duydukları sevginin, dünyevi sevginin bir örneği sayılıp sayılamayacağını sormuştu. Bir derviş ile mürşidi arasındaki ilişkiyi anlayabilmek için sadece bu dünyaya bakmak yetmez, öteki dünyayı da göz önüne almak gerekir.

Züleyha, Yusuf'a olan aşkı için her şeyini; parasını, şanını ve makamını feda etti. Onun aşkında o kadar kaybolmuş ki, onu gördüğünü veya ne yaptığını haber verenlere en pahalı mücevherlerini verirdi. Bu olay, Mısır aristokrasisinin en büyük skandalı haline gelmişti: Kocasının kölesine hiç utanmadan âşık olmuş bir kadın.

Burada büyük bir hakikat vardır. Bu, öylesine sıradan aşklardan değildi. İçinde gizli saklı bir şeyler taşıyordu bu aşk. Böyle aşklar, size kim olduğunuzu unutturabilir. Sizi içinde yaşadığınız toplumun geleneklerinden ve kınamalarından korur.

Seneler sonra Yusuf ile Züleyha'nın konumları tamamen tersine döndü. Yusuf, firavunun arkadaşı ve akıl hocası, yani ülkede en güçlü ikinci adam olmuş, Züleyha ise dilenerek ve zor işler yaparak maişetini temin ediyordu.

Yusuf ipekli kıyafetleri içinde güzel kısrağının üstündeyken ve etrafında danışmanları ve askerler olduğu hâlde sokakta bir gün Züleyha'ya rastladı. Züleyha ise perperişan bir hâldeydi. Aradan geçen seneler güzelliğini elinden almıştı. Yusuf:

"Züleyha, benimle evlenmek istediğin zaman seni alamazdım; çünkü efendimin karısıydın. Artık hürsün ve ben de bir köle değilim. Eğer istersen seninle evlenebilirim.", dedi.

Züleyha ona baktı ve gözleri değişik bir ışıkla parladı. "Hayır Yusuf, sana olan aşkım benimle gerçek *Mahbup* arasında sadece bir perdeymiş. O perdeyi elhamdülillah yırttım. Gerçek aşkı bulduğuma göre artık senin aşkına ihtiyacım yok", dedi.

Yusuf'a olan o büyük aşkı vasıtasıyla Züleyha hepimizin aradığı gerçek aşka vasıl oldu.

— Efendim kalpleri çürüten hasletler nedir? Biz aramızda bazen tartışıyoruz. Ancak bu hasletler konusunda anlaşamıyoruz. Sizin değerlendirmenizi alırsak çok memnun oluruz.

— On kötü haslet yüzünden kalpleriniz ölmüş. "Allah, kalpleri ölmüş olanların duasını kabul etmez" bu on kötü haslet şunlardır:

1. Allah'ı tanıdığınızı iddia ediyor; fakat ona olan borcunuzu vermiyorsunuz. Bu borcu, fakir ve muhtaçlara ihsanda bulunarak ödeyin.

2. Kur'an-ı Kerim'i okuyorsunuz fakat hüküm ve kurallarından haberiniz yok. Okuduklarınızı uygulayın.

3. Şeytanın düşmanınız olduğunu iddia ediyor; fakat ona itaat ediyorsunuz. Onun tekliflerini geri çevirin.

4. Kendinizi Ümmeti Muhammed'den sayıyor; fakat sünneti seniyeyi uygulamaya çalışmıyorsunuz.

5. Cennete girmek istediğinizi söylüyor; fakat ona girmek için gerekli amellerin hiçbirini işlemiyorsunuz.

6. Ateşten mahfuz olmak istiyor; fakat günahlarınızı ve kötü amellerinizle kendinizi mütemadiyen ona sürüklüyorsunuz.

7. Ölümün herkese geldiğini biliyor; fakat ona hiçbir hazırlıkta bulunmuyorsunuz.

8. Bütün din kardeşlerinizin kusurlarını görüyor; fakat kendi kusurlarınızı görmüyorsunuz.

9. Allah'tan gelen bütün nimetleri şükretmeden yiyor ve kullanıyor; fakat ona olan minnettarlığınızı size verdiği nimetlerden muhtaçlara tasadduk ederek göstermiyorsunuz.

10. Ölülerinizi, aynı sonun sizin de başınıza geleceğini bile bile, ibret almadan gömüyorsunuz."

Peygamberler ve veliler ayna gibidirler; nasıl ki aynalar bize yüzümüzdeki kirleri gösterir, evliyâullah da size hatalarınızı gösterirler.

— Duyduğumuza göre Şems ismini Şems Sûresi'nden etkilenerek almışsınız. Âyette belirtilen, "Nefislerinin boyunduruğundan kurtulanlar; işte onlar felâha, kurtuluşa erenlerdir." Buradaki hikmeti açıklar mısınız?

— Ruh bu dünyaya ait değildir, Hâk katından gelmiştir. Ruh bedene girdiğinde kafese tıkılmış gibi olur. Orada hapis hayatı yaşar. Bedenimizde birçok değişik şey yapabilmemize imkân sağlayan organlar vardır; meselâ kalbimiz. Fakat bedende bu fiziksel güdüleri fiiliyata dökecek güç olmadığı için ruhtan destek görür. Güç ruhtadır; fakat vasıtalar bedendedir.

Ruh, bu vasıtaları istenmeyen fiiliyata döktüğünde, o zaman ruhun vasıfları söz konusu olur. Allah çirkin ve kötü olan hiçbir şey yaratmamıştır. Kötü ve çirkin olan, bizim kendi cüzi irademizle yaptığımız suistimallerdir.

Şimdi bu durumda kötü hareketlerimizden kim sorumlu, beden mi, ruh mu? Kıyamet gününde beden ruhu, "Kötülük yapacak gücüm yoktu" diye; ruh da bedeni, "Kötülük yapacak vasıtam yoktu" diye suçlayacaklardır. Birbirlerini suçlamalarına şu cevap verilecektir: Siz kötülükte birbirlerine yardım etmiş olan kötürüm ve kör gibisiniz. Kötürüm görüyor ve kararları veriyordu; fakat körde kötülüğü yaptıracak beden ve güç vardı. İkisi suçluydular.

Nefis kendi içinde kötü bir şey değildir. Nefsinizi asla suçlamayın. Tasavvufi eğitimin önemli bir gayesi de nefsin mertebesini yükseltmektir. Nefsin en düşük mertebesinde etrafınız tamamen bedenî ve şehvanî arzularla kuşatılmıştır. İkinci seviyede yaptığınız bütün kötülükleri fark edip kendinize kızarsınız ve her şeyi Allah'ın rızasına uygun yapmaya çalışırsınız. Bir sonraki seviyede ise hayır veya şer, Allah'tan her gelene razı olursunuz.

Allah, "Biz Âdem'e kendi ruhumuzdan üfledik" diye buyurmuştur. İşte ölüm anındaki "Rabbine dön!" emrine kadar bedende hapis olan ruh, bu ruhtur. Ruhun en alt seviyeleri bedeni terk etmek istemez. Artık âdeta bedenin bir parçası haline geldikleri için orayı terk etmemek için isyan ederler.

— Peki, peygamberlerin ve velilerin ruhları nasıldır?

— Onların ruhları bizimkilerden tamamen farklıdır. Çok daha temizdirler. Bu insan-ı kâmillerin bedenindeki dünyevi maddeler dünyanın en mübarek ve temiz yerlerinden alınmıştır. Bedenleri kötülük işlemediği ve tamamen temiz olduğu için ruh böyle bedenlere girince hiçbir şekilde kirlenmez. "Nefsini bilen Rabbini bilir" sözünü hemen hemen herkes bilir. Bunun iki anlamı vardır.

İlk anlamı şudur; kendi ihtiyaç, arzu ve zayıflıklarımızı bilir, bunun yanında sonsuz kudret sahibi olan Allah'a iman ederiz. Daha sonra da bizi bu dünyada besleyen, giydiren ve barındıran bir koruyucuya ihtiyacımız olduğunu biliriz.

İkincisi daha gizemli bir açıklamadır. Allah, "Size şah damarınızdan daha yakınım" buyurmuştur. Kendimizi tanıma sürecinde Allah ile olan bu derin bağlantıyı keşfetmeye başlarız. Bu bağlantıyı kullanarak Hakk'a vasıl oluruz. Bu dünyadayken Allah'a dönebilme, yani ölmeden sadece ve sadece O'nun emirlerini tutmakla mümkündür. Allah'ı takip etmeyip şeytana uyanlar ayrılacaklardır.

Bir salkım üzümü düşünün. Salkımdan kopan her tane hemen çürür; fakat koparılmayanlar uzun yaşar. Üzüm tanesi salkımda kaldığı sürece beslenir. Her şey aynıdır ve zati itibariyle güzeldir. Çirkin olan sadece zahiri sıfatlardır.

— Rüyalarımız ruhumuzun yolculuğundaki görüntülerden mi oluşuyor?

— Kandilden çıkan bir ışık misali ruh, uykudayken bedenle olan bağını koparmamak suretiyle onu terk eder. Bu ışık levh-i mahfuza kadar uzanır ve kendi ile alakalı olan bölümleri "okur". Uyanırken, el fenerinin kapatılması gibi ruh da vücuda geri döner. Ruhun bu şekilde uzaklara uzanması sonucu normalde ilmimiz olması imkânsız olan birtakım şeyleri öğrenebiliriz. Fakat bu öğrendiğimiz her zaman için ilahi ilmin bir cüzüdür.

Rüyadaki nesneler ve semboller vardır; onları sadece gerçekten bilgili olanlar okuyabilirler; fakat bu sembollerden çıkarılan anlam seviyeden seviyeye, kişiden kişiye ve ruhtan ruha farklılık gösterir.

— Ruhlar da mı bizler gibi çeşit çeşittir?

— Herkeste yedi tane ruh vardır. Ruh-u madeni, ruh-u nebati, ruh-u hayvani, ruh-u insani, ruh-u meleki, ruh-u sır ve ruh-u sırrı-us sır. Rüyadaki semboller bağlı oldukları ruh seviyesine, onları kavrayan ruha ve gören kişiye göre farklılık gösterirler. Sultan, köleyle aynı rüyayı görebilir, fakat anlamları farklıdır.

Rüyayı hangi seviye ruhun gördüğü çok önemlidir. Ruh-u hayvani ve nebatinin gördüğü rüyalar kişinin güdülerini ve nefsanî arzularını yansıtır. Meselâ aç yatarsanız rüyanızda büyük ihtimalle yemek yediğinizi görürsünüz. Ruh-u insani semboller görür. Meselâ yılan mal anlamına gelebilir, ama derviş tarafından görüldüğünde alt derecedeki ruha işaret olabilir.

— Ermiş mi olmak iyidir, ilahiyatçı olmak mı?

— Eğer maneviyat (ledün ilmi) bahis ve eğitim ile öğrenilebilseydi o zaman Fahrettin Râzi'nin huzurunda Beyazıt ve Cüneyt'in üzüntü yüzünden başlarına dünya kadar toprak dökmeleri ve en az yüz yıl ona öğrencilik yapmaları gerekirdi. Bir söyleyişe göre Fahrettin Râzi, Kur'an tefsiri üzerine bine yakın sayfadan oluşan kitap yazmıştır. Ancak ne var ki yüz bin Râzi, Beyazıt'ın sokağının tozuna bile ulaşamaz. O dış kapı tokmağını çalan kişidir. İç kapı tokmağına ulaşamaz. Zira o kapı has dostlara açılır. Dışarıdakiler oraya ayak basamazlar.

Bazı erenlerin kerametleri gizlidir. Gizli oldukları için herkese sırlarını açıklamazlar. Sizlere bu husus için birkaç tane hikâye anlatayım:

Beyazıt hacca daima yaya giderdi. Yetmiş kez hacca gitmişti. Bir gün yolda insanların susuzluktan dolayı perişan ve mahvolduklarını gördü. Kuyunun yanında bir de köpek vardı, hacılar kuyuyu sıkıca sardıkları için köpek suya ulaşamıyordu. Köpek, ona bakar bakmaz içine şu ilham geldi, "Git, köpek için su temin et." Hemen bağırarak ilan etti, "Bir tas suya karşı tertemiz ve makbul bir haccı bağışlıyorum, isteyen var mı?" Kimse aldırmadı. Beyazıt artırmaya devam etti. "Altı, yedi yaya olarak yapılan hacca karşı" fakat kimseden ses çıkmayınca "Peki yetmiş defa yapılan haccın tamamını bağışlarım" deyince birisi bu teklifi kabul etti. Bu arada Beyazıt'ın kafasından şu düşünce geçti, "Ne mutlu bana (ne iyi insanım ben). Bir köpek uğruna haclarımı sattım". Suyu bir tasa koyup köpeğe uzattı, köpek yüzünü başka tarafa çevirdi. Bunun üzerine Beyazıt yere kapanıp tövbe etti ve kendisine şu ilham geldi, "Ne zamana dek övünerek ben Allah için şunu yaptım, bunu yaptım" diyeceksin. Gördün ya köpek bile suyunu kabul etmedi." Ağlayarak dedi ki, "Tövbe ettim, artık böyle düşünmeyeceğim." Bu söz üzerine köpek başını suya uzattı ve suyu içmeye başladı.

— Efendim içimizde bazen ölüm korkusu peyda oluyor. Bunu dervişliğimize yakıştıramıyoruz, kendimizden utanıyoruz. Ölüm korkusunu nasıl yenebiliriz?

— Peygamberimizin bir hadisi vardır: "Müminler ölmezler, fakat nakil olurlar." Yani ölüm ayrı şeydir, nakil olmak ayrı şeydir. Meselâ: Sen dar ve karanlık bir evdesin ve orada gezemiyorsun; ayaklarını uzatamıyorsun fakat oradan, geniş bahçeli bir köşke nakil olsan buna ölüm denir mi? Bu sözlerim ayna gibi apaydındır. Eğer sende aydınlık ve zevk varsa ölümü arzu edesin (korkmayasın). Allah senin yardımcın olsun! Tebrik ederiz ve beni de dualarından eksik etme. Eğer böyle bir zevk ve arzu sende yoksa o zaman böyle bir zevki yarat, ara ve çabala; zira Kuran'da bunu nasıl yapacağın hakkında şu bilgi vardır: "Eğer samimi bir mümin iseniz, ölümü arzularsınız" (*Bakara: 94*). Erkekler ve kadınlar arasında mutlaka böyle samimi imana sahip insanlar vardır. Bu sözler size ayna olsun ve kendi halinizi bu aynada görün. Ölümden nefret etmedikçe hangi hal ve işte iseniz iyi sayılır. Bir işte ve hâlde çekingenlik oldu mu bu aynaya bak ve karar ver. Parlak bir ışıkta oturup ölüme hazırlan ve bekle veya çabalayan gibi sen de çabalayarak bu hali elde et.

Yiğit olan kişi sıkıntılı halinde hoş ve kederli iken mutlu olmasını bilen kişidir; zira muratlar, muratsızlık içinde gizlidir. Umutsuzluğunda nice umutlar vardır ama hemen kaygılanmak asıl umutsuzluktur. Ben ateşli ve hasta iken mutlu idim; çünkü biliyordum ki yarın sıhhate kavuşacağım ve sıhhatli iken yarın hasta olabilirim, kaygım vardı. Bazen derler ya, "O yemeği yemeseydim bugün hasta olmazdım." Bu sözlerde teselli ararlar. Yiğit olan ise her türlü sıkıntıya dayanabilen insandır. Onun yüceliği budur. O, bu şekilde kâmil insan olmuştur.

— Hakkı tanımak, halkı tanımaktan daha mı kolaydır?

— Bu insanları anlamak Allah'ı anlamaktan daha zordur. Allah'ı delilleriyle bulabilirsin. Örneğin güzel işlenmiş bir tahta parçasını görünce onu işleyen hakkında hayal edebilirsin; çünkü tahta kendiliğinden o hale gelemez. İnsanlara bakınca onlar zahirde sana benzeyebilirler; ama iç âlemlerini bilemezsin. Senin düşünce ve hayallerinden çok uzak olabilirler. İşlenmiş tahta parçasına bakarak sanatkârın ustalığını idrak edebilirsin; ama o sanatın genişliğini ancak erenler anlayabilirler.

— Evet dervişler bana epey soru sordunuz. Bir soru da

ben size sorsam?

— Buyurun efendim sorun sormasına da sizin sorularını-
zın kıyamet surundan beter olduğunu duymayan yok.

— Ağlayışınız neye?

— ....

— Cevabı ben sizlere bir derviş hikâyesi ile vereyim.

Bir sofi yıllardan beri İlahi sırrı arıyordu ve bunun için çok
uğraşıp, çabalıyordu. Nerede bir şeyh veya ermiş bulsa ona hiz-
met ediyordu fakat henüz zamanı gelmediği için muradına ere-
miyordu ve mâna kapısı bir türlü açılmıyordu.

"Zamanı gelmeyince ne işin olursa olsun,
Sana yararı olmaz, dostun kim olursa olsun."

Bir gün mezarlığa gitti. Aklına arayışı geldi. Çok ağladı ve
başını bir tuğlaya koyup uyuyakaldı. Rüyada bütün isteği ye-
rine geldi. Kalktı ve tuğlayı koltuk altına koyup nereye gider-
se gitsin hep yanında götürür oldu, hamama, camiye, tuvale-
te, semaya, çarşıya velhasıl her yere. Tuğlayı öper, yüzüne sü-
rer ve bazen başına koyardı. Birisi sordu, "Neden bu tuğlayı bir
kenara koymuyorsun?" dedi, "Mezara kadar götürüp bunu yas-
tık yapacağım. Çok süreden beri bende olan bir niteliği kaybet-
miştim; bir umuda kapılır, bir kaybederdim. Sonunda bu tuğla-
ya başımı koyunca muradıma eriştim." Peygamber (s.a.v.)'in bir
hadisi vardır: "Eğer bir kimse bir şeyden Allah lütfuna ulaşırsa
ona sıkı sıkıya bağlanmalıdır."

Adamın birisi ölmüştü. Ağıtçıyı çağırdılar. Ağıtçı yakınlarına
sordu:

"Bu adamın hünerleri nelerdi? İlmi var mıydı?"

Cevap verdiler: "Hayır."

"Peki, ibadete düşkün müydü?"

Dediler: "Hayır."

Ağıtçı kıbleye dönüp tekrar sordu: "Fakir, fukaraya yardım eder miydi?"

Dediler: "Hayır."

Sonuçta ne sorduysa olumsuz cevap aldı. Ağıtçı ağlamaya başladı ve şöyle dedi,

"Ey şaşkın gelip şaşkın kurtulan; şaşkın doğup şaşkın ölen kişi!"

— Şimdi dervişler tuğladan öğüt alan derviş misiniz; yoksa ağıtçının ağladığı şaşkın mısınız?

KARŞILAMA ŞÖLENİ

Arza hacet yok halim sana ayandır...
Dile gerek yok, sessizliğim sana beyandır...
Söze lüzum yok, susuşum sana kelâmdır...
Kelama ihtiyaç yok, aşk sana figandır.

Konya bahar yaşıyordu, ama yalancı bahardı bu. Mevlâna'yı hoşnut etmek için gönülsüz de olsa kalabalık gölgelerdi sadece. Görkemli ve izdiham uyandıran bir karşılama düşünmüşlerdi. Mevlâna onlara engel olmuş:

"Şems kral değil, sultan değil, biz Hak âşıkları peygamberimiz misali garibiz, şatafatta kuru gürültülerde gönlümüz azap çeker." demiş.

Cemreler teker teker önce havaya, ardından suya ve sonunda toprağa düşmüştü. Ancak dördüncü bir cemre vardı ki aşk cemresi Mevlâna'nın yüreğine müjgan olarak düşmüş ısıtmıştı. Aylardır gülmeyen yüzü gülüyordu. Ne de olsa *'güneş'*i yola düşmüş geliyordu. Gecenin gelincikleri şehrin sokaklarını sarmış. Gelinciklerin arasından gökyüzüne doğru başlarını uzatmış, sapsarı kır çiçekleri mis gibi kokuyor. Bekleyenlerin yüzü mutlu. Beklenenin gelişi gibi kutlu. Muştular salınmış dört bir yana. Mevlâna bayram sabahı çocukları gibi heyecanlı, yerinde duramıyor. Kâh avludan dışarıya, kâh dışarıdan avluya geliş gidişler dizinde derman bırakmaz. Yanındaki müridine:

— Onu bahçendeki meşe ağacının altındaki tahta sedire oturtup hasret hatıralarını dinleyeceğiz neşe içinde, diyor gözlerinin içi bambaşka bir gülümseme ile. Müritler ondan daha sevinçli, aylardır gülmeyen efendileri neşelendi diye.

Önceleri vaazlarında, ev sohbetlerinde beni yerden yere vuran, beni zındıklıkla, sapıklıkla, hatta bazı ukalaların sınırı aşıp beni kâfirlikle suçlayan hocalar Mevlâna'ya yaranmak için görkemli bir karşılama töreni düzenlemeyi teklif etmişlerdi. Mevlâna:

— O bir kral değil, biz hak âşıkları Peygamberimiz gibi garibiz. Ne hediyelerinizi isteriz ne alkışlarınızı demiş.

Sonra da Konya'daki arkadaşları ile beni karşılamak için Kervan, Konya civarındaki Zincirli hana gelmiş, konaklamıştı. Bu sırada Sultan Veled adamlarından birini, dörtnala Konya'ya gönderdi, Mevlâna'ya bizim gelmekte olduğumuzun haberini tezce ulaştırmıştı.

Mevlâna, üstünde başında ne varsa müjdeciye vermişti:

— Daha ne varsa verin, diyor ve en güzel gazellerinden biriyle şöyle sesleniyordu:

Yollara sular dökün.
Bahçelere müjdeler verin...
Bahar kokuları geliyor,
O geliyor, o!
Ay parçamız, canımız, yârimiz geliyor.
Yol verin, açılın, savulun,
Beri durun, beri!
Yüzü apaydınlık, ak pak
Bastığı yerleri aydınlatarak,
O geliyor, o!

Her ağızdan tek ses: "O geliyor!" Bu söz. Sarı benizlerde pembe hareli akisler yapıyor, tellâllar, caddelere dökülmüş bağırıyor: "Şems geliyor!" Ve Şems geldi. Mevlâna kükremiş aslan gibi sesleniyor yine...

Geldi, dostlar,

Güneşim, Ay'ım geldi.

O gümüş bedenlim,

Gözüm, kulağım, canım geldi,

Başım sarhoş,

İçim bir hoş bugün...

Sabahlara dek öldüğüm,

Bir demet gül gibi yoluna döküldüğüm,

Servi revanım geldi.

Bak Allah aşkına!

Bak şu baharın şevkine...

Ey güneş, dökül saçıl seraba!

Sevgilim gibi cömert,

Bir tohum gibi fışkıracak,

Bedenimdeki kuvvet,

Kükremenin tam çağı,

Aslanım geldi.

Dert dindi, acılar unutuldu, birer birer,

Şu er,

Şu güle benzeyen!.

Ne bileyim şekere, bala benzeyen,

Cananım geldi.

Ey Tebrizli Şems!

Ey gözümdeki nur!

Beni benden aldılar bugün,

Kurulsun düğün dernek,

Ahun tenlim,

Gümüş bedenlim.

Dilim, dilberim geldi.

Umut tek teselli. Umut etmeyi bilen vuslattaki sırra da aşinadır. Önce Şems'in kokusu geldi kendisinden evvel. Yağmur tadındaydı. Bozkır, bu kokuyu içine çekti. Sonra yolcular belirdi ufukta. Vakit akşama yakın, mekân aşka aç.

Şehrin ileri gelenleriyle birlikte Mevlâna, bizi karşılamak için şehir sınırında bekliyorlardı. Sultan Veled atımın başını çekiyor. Ben siyah feracemi rüzgârda dalgalandırarak başım önümde, ağır ağır at üstünde ilerliyordum. Attan indim. Dost beni saatlerdir ayakta beklerken ayağım *burak* olup uçmalıydı. Ben yaklaştıkça maşuğun kalp atışındaki sesleri duyuyordum. Gökteki yıldızlar neredeyse bu manzaraya hürmeten yere eğileceklerdi güpegündüz. Sarıldık... Sarmaş dolaş sımsıkı sarıldık. Mevlâna ağlıyordu, ben ağlıyordum. Birbirimizin yanağından akan damlaları silmeye çalışıyorduk. Kokusunu özlemiştim. İç çekişini öyle derinden duydum ki ciğerim kendi kanında boğulacaktı. Sarılmaya doyamadık. Bağrı sıcacıktı. Kulağına "Serabın bir yalan olduğunu ve suyun sır okyanusuna aktığını" fısıldadım. O da gülün toprağını ne zamandır beklediğini, yağmurunu nasıl düşlediğini, güneşini delice özleyişini fısıldadı.

Yıllar öncesi aynı manzara Konya'da, çarşı ortasında olmuş. İlk defa gördüğüm Mevlâna'nın yolunu kesmiş, atının dizginlerini tutmuştum. Şimdi, dizginlere sarılan Mevlâna idi, iki deniz bir defa daha birbirimize kavuşmuştuk, ikinci bir "Merace'l-Bahreyn" olmuştuk.

Bu kutlu sahne yaşanırken, hafızlar Kur'an okuyor, müritler semâ ediyorlardı. Ney, kudüm sesleri ayyuka çıkmıştı. Mevlâna, attan inişime yardım etti. İki dost, iki Allah velisi birbirimizin elini öperek sarmaş dolaş olduk. Sonra bir müddet sustuk, "hâl" diliyle halleştik.

Mevlâna'ya Sultan Veled'in yolculuk günlerindeki zahmet ve hizmetinden bahsettim:

— Benim, Allah vergisi iki halim vardır: Biri başım, öteki sırrımdır. Başımı, tam bir samimiyetle senin yoluna feda ettim. Sırrımı da Veled'e verdim. Veled oğlumuzun Nuh Peygamber kadar ömrü olsaydı ve hepsini ibadet ve riyazata harcasaydı, yine bu yolculukta, benden ona ulaşan sır kadar, sırra müyesser olamazdı... diyordu.

Gerçekten, bir ay kadar süren yolculuk sırasında Sultan Veled, beni gözü gibi korumuş, yolculuğun mümkün olduğu kadar zahmetsizce geçmesi için elinden geleni yapmıştı. Yolculuk günlerinde sohbetlerimle Sultan Veled'in gönlünü süslemiş, gerçekten de sırlarımı vermiştim:

"Evladım, Mevlâna'nın gözbebeği benim de gülümdür, sen evladımsın. Vakti gelir ben giderim, saati gelip çatar baban gider, sana tavsiyelerimi yüreğine nakşet:"

Yalancıda da vefa olmaz. Ahlâksızın tövbesi nasıl sağlam kalır? Cimrilerin vefası az olur.

İkiyüzlüleri kendine düşman bil. Onlardan ve onların işlerinden beri ol.

Dinin saf ve katıksız bir su gibi kalması için daima, helâl rızık iste. Haram rızık peşinde koşanın kalbi, teni içinde tamamıyla ölüme mahkûmdur. Belâların nerden geldiğini bilmemek, belâların en büyüğüdür.

Görüyorum ki sen de kitap yazma arzusu var, ben hayatta iken bir satır bile yazma. Benden sonra kalemi al yaz, ne zaman ilhamın durur, kalemin buruklaşırsa şu yüzüğü parmağına tak, akik yüzüğün ismi iptidadır, senin kitabın da İptidanâme olsun.

— Tamam Pirim. Kitabımı yazmaya kıvılcım olabilecek tavsiyelerinize ihtiyacım var.

— O zaman dinle evlat, şu tavsiyelerim sana ışık olsun:

"Dervişleri eğitmek, iffetli bir kız evlat yetiştirmek gibidir. Nereye gittikleri, kimlerle görüştükleri konusunda dikkatli olmak gerekir. Yanlış insanlarla görüşmeleri, temiz tarlaya kötü tohum ekmek gibidir; iyi ürün almak mümkün değildir.

Gönül konularında kendini hemen verme, kendini verdiğinde diplere batarsın.

Aydınlanmış insanlar yöneticilerin tutsakları olmazlar. İnsanlar kararlıysalar, yazgıyı alt edebilirler; irade yoğunlaştığında, enerjiyi harekete geçirebilir. Aydınlanmış insanlar geleneklerin kendilerini bir kalıba dökmesine izin vermezler.

Kötü bir şey yaptığında, insanların bunu öğreneceğinden korkuyorsan, o zaman o kötülükte iyi bir şey vardır. İyi bir şey yaptığında insanların bilmesini istiyorsan, o zaman o iyilikte kötü bir şey vardır.

Gözler ve kulaklar, görme ve işitme dışsal yağmacılardır; duygular, arzular ve görüşler içsel yağmacılardır; ama içsel zihin uyanık ve ayaktaysa, hepsinin ortasında kayıtsız oturuyorsa, o zaman bu yağmacılar değişip ev halkından olurlar.

Suskun ve anlaşılmaz insanlarla karşılaştığında, onlara düşüncelerini açma. Alıngan ve bencil insanlarla karşılaştığında, sözlerine dikkat et.

Başkalarına güvenenler, herkesin içten olmadığını göreceklerdir; ama kendileri içten kalırlar. Başkalarından kuşkulananlar, herkesin kendilerine ihanet etmediğini göreceklerdir, ama kendileri hep ihanet içinde olurlar.

İyilik yapıp da yararını görmemek, otlarda yetişen kabağa benzer; doğal olarak, kimsenin dikkatini çekmeden büyür. Kötülük yapıp da zararını görmemek bahçedeki bahar karı gibidir; kaçınılmaz olarak ya eriyecek ya buharlaşacaktır.

Gayret, erdem ve adalet konularında özenli olmaktır; ama dünyevi insanlar gayreti ekonomik sorunlarını çözmek için kullanırlar. Yalınlık maddi varlıklara ilgi duymamaktır; ama dünyevi insanlar yalınlığı cimriliklerini örtmek için kullanırlar. Böylelikle aydınlanmış yaşamın ilkeleri, küçük insanların özel işlerinde araç haline gelir. Ne yazık!

İtirazcı ve iftiracılar güneşi geçici olarak örten bulut parçaları gibidirler; az süre sonra hava yine açacaktır. Yağcılar ve dalkavuklar, tene saplanan hava akımı gibidir; kişi ayrımsamadan zarar görür."

Madem hamı pişiremiyorsunuz.
Bari pişmişi ham etmeyin...

Dergâha Mevlâna ile kol kola girdik. Birbirimizi öyle derin özlemişiz öyle özlemişiz ki dakikalarca konuşmadan kokumuzu kokladık. Kaldığımız yerden devam etmeye, muhabbet deminde demlenmeye, hasbıhâlden hasbıhâle kanat çırpmaya başladık. Hasretimizi halvet sohbetleri ile gidermeye başladık.

Ben gelmeseydim sadece Mevlâna Konya'da bilinen bir ışık olacaktı, sadece bu çorak topraklarda akan bir nehir. Ben maşukumu cihana duyuracağım. Okyanuslaştıracağım.

İnsanlar şu hâldeki Mevlâna'dan memnundu. Ama Mevlâ memnun değildi Mevlâna'dan.

— Ne diye camide vaaz ediyorsun. Onların yüreklerini değil, kulaklarını okşuyorsun?

— İnsanlar bilgilensin diye?

— Peki, yıllardır vaaz ediyorsun değişen hangi insanlık, sonuç ne?

— Bunu biz bilemeyiz.

— Kim bilecek peki. Bilmiyorsun sen insanları. Bak yarın vaazını değiştir. Mülayim menkıbeler anlatmayı bırak. Yarın vaazında sürekli cehennemi anlat, acı ver sözlerine. İktidara sataş, dramatize et vaazını. Dilin sivri, sözlerin bıçak olsun. Ertesi gün ce-

180

maatin camiye sığmadığını göreceksin. Bu millet ağlayan, ağlatan hitaptan haz alır. Ama gel gör ki ağlamayı bile beceremezler.

Yarın vaaz vermen gerek. Bu zor iştir. Kapı bir kere açılmıştır, eğer vermezsen insanlar bağırıp çağıracaklar. Keşke onlar vaazlarından yararlansalar. Bütün sözler açık ve imarla söylendiği hâlde sanki hiç öğütlenmemiş gibi sözlerin amaçlarını da kavratamıyorlar. Mademki anlamıyorlar, uygulamayı nasıl yapacaklar? Bilinçsiz uygulamanın sonu sapkınlıktır. Çile çekerken ne yaparlar? "Allah'tan başka Allah yoktur" derler; fakat bu da gönülden söylenmelidir. Sadece dilden çıkan sözün ne değeri var?

Üçüncü gün vaazında cenneti anlat. Asude konuş. Cemaatin dağıldığını göreceksin. Cenneti isteyen çok, arzulayan yok göreceksin. Yalan gelir halka konuşmaların. Dene, gör. Bırak o vakit vaazı. Gel vaazlar vaazını avaz avaz ben sunayım sana.

Kalbini okumadığın sürece geçemezsin sidretü'l müntehayı. Sonrası yok. Allah var sadece. Ne zaman başka bir şey oldu ki dünyada. Sadece göz yanıldı hep... Akıl her şeyi bilebileceğini sandı. Bilemedi. Kendini bilemedi.

Kalp kalemi yazmasaydı kelimeler ağzında dekor olarak kalırdı. İçi boş kelimeleri yalnızlık doldurur.

Aşkın yaşanabilmesi mümkün mü ölümü göze almadan? Aşk ve ölüm aslında tek bir kelime değil mi? Beklenen kelime ne olabilir o zaman? Sır burada.

"Söz" bitti! "Hâl" başladı artık. O hâlin içine girdik. Esmaü'l-Hüsna zikrimizin içinde insanlık sırrımız ile buluşuyoruz. Allah'tan hiç uzaklaşmadık ki biz. İster cennet olsun, ister dünya. Biz her an hâlimizle o hâlin içinden hiç çıkmadık ki.

— Sen benden sonra insanlara daha değişik bakacaksın. Bu bakışın seni gönüllerde büyütecek. Dört duvar, dört kapı, Konya değil senin kitlen, kalabalığın.

Cehalet, seni senden almayan
ilimden yüz kere daha iyidir.

Sabah namazını kıldım. Kur'an okurken Mevlâna içeriye girdi. Mevlâna bana sordu:

— Bu sabahki ikramın ne? Önceleri sabahları Esrarnâme ile güne başlardım.

— Neden sürekli kitaplardan konuşuyorsun. Sürekli başkalarının sözlerini tekrarlayıp duruyorsun. Senden olan cümleler yok mu?

— Peki Şems, Ariflerin Sultanı'nı tanıyor musun?

— Kimmiş o?

— Muhyiddin İbnu'l Arabî.

Bırak, o ne demişse demiş. O ölü bilgilerini ölülerden alıyor; ama ben bilgimi ölmez yaşayandan alıyorum.

— Arif o kişidir ki, dostun zikrinden geri kalmaz, onun dostluğuna doymaz. Rıza sofrasında yakın ağzına giren zikirden daha tatlı bir yemek yoktur.

— Manevî ilim, üç şeyle elde edilir. Zikreden dil, şükreden kalp, sabreden ten. İlimsiz bir vücut susuz bir şehre benzer. Nihayet kuru bir kalıptır. Vücudu, perhizle, ahlâkla, nefis terbiyesi ve gayretle sulandırmalı ve bezemelidir.

— Beni arifliğinle aşiyan et Şems'im.

— Ben nur diyorum, sen çamur anlıyorsun, ben seni aşka davet ediyorum sen beni ateşe salıyorsun. Gerçi hoş ateşinde yanmak da var yazgımda; ama yaktığın ateşlerden büyük ateşlerde yanmaya yan çizeceksen ben niye yanayım. Ben aşk diyorum sen "aşk olsun" diyorsun. Ben gönül diyorum sen gölgelerin peşinde yol alıyorsun. Uslan artık yüreğim, bir derdim olmalı ki bin dermana değişmeyeyim. Şimdi söyle sen dert misin?

Dostluk gül olmaktır,
yaprağı ile de dikeni ile de.

Mevlâna sen bir gülsün, o gül halin için diyar diyar dolaşıp dizine başımı dayadım. Sana niçin gül olduğunu anlatayım mı?

— Memnun olurum, buyurunuz.

— Bir derviş hikâyesi vardır. Horasandan Anadolu'ya bir derviş gelir, amacı kendisine dergâh bulmaktır. Sivas yöresinde bir dergâhın kapısını vurur. Tak. Tak. Tak... O esnada mürşit sohbettedir talebeleri ile henüz kapı açılmadan kapıya doğru giden talebesine seslenir. Evlat dur hele. Kapıda bir derviş var, kapıyı vurma şeklinden sesinden belli... Muradını anladım. Cevabımı vermek için bana bir bardak getirin. Gelen bardağı su ile doldurur mürşit. Öyle doldurmuştur ki bir damla daha konsa bardak taşacak şekildedir. Şimdi bu bardağı kapıdaki gelene sun, o mesajımı anlar.

Derviş kapıda, talebe suyu dökmeden götürme sancısında. Açar ve bardağı uzatır... Derviş tebessüm eder, anlamıştır mesajı. Mesaj şudur:

— Evladım, dergâhımız ağzına kadar talebe ile dolu, sana yer yok, seni alırsak yerimiz dardır, taşar, bir talebeye dahi yer kalmayacak kadar doluyuz. Sen var git kendine başka bir kapı bul. Derviş, bahçedeki gülden bir yaprak koparır ve bardağın üzerine koyar. O da ne; su taşmamış, bardaktan dökülmemiştir. Der ki derviş:

— Şimdi bardağı hocama götürünüz o arzumun ifadesini, maksadı matlubumu anlar. Bardağın üzerine gül konulmasına rağmen taşmadığını gören mürşit anlamıştır mesajı.

Derviş: Ey üstadım, ey pirim beni dergâhına kabul buyur, ben bir gül yaprağıyım, gül dert vermez, dert alır; bana destur et, al yanına, asla taşkınlık yapmam, taşırmam. Hikmet kokundan, hizmet suyundan bu fakiri mahrum bırakma.

— Hakiki dost Allah gibi mahrem olmalıdır. Dostun çirkinliklerine, hoşa gitmeyen hallerine tahammül etmeli, hatasından incinmemelidir. Dosttan yüz çevirmemelidir, dosta itiraz etmemelidir. Nitekim rahmeti bol olan Allah kullarının ayıplarından, günahlarından, noksanlarından dolayı onlardan yüz çevirmez. Tam bir inayet ve şefkatle, onlara rızkını verir, işte garazsız, ivazsız dostluk budur.

Bir taraftan irşatlarıma devam ediyor, diğer taraftan gecelerce devam eden riyazetlerde Mevlâna'yı pişiriyordum. Zaten bu gelişmeye hazır olan Mevlâna, benimle tanıştıktan sonra beni bile geçmişti. Mevlâna bir gazelinde şöyle diyordu:

— Seher çağı gökyüzünde bir ay göründü, gökten indi de gözünü bize dikti, bakmaya başladı. Ay zamanında bir kuş vurmuş doğan gibi. Ay, beni kaptı, gökyüzüne uçuverdi. Kendime baktım göremedim. Çünkü o ayın lütfuyla bedenim can kesildi. Can âlemine gittim. Orada da o aydan başka bir şey göremedim. Hâsılı ezelî tecelli sırları, tamamıyla anlaşıldı.

Yine bir gazelinde Mevlâna, bu değişikliği şu beyitlerle terennüm eder:

— Aşkın sarhoş etti beni, ellerimi çırpmaya koyuldum. Sarhoşum, kendimden geçmişim, ne bilirim ne yaptığımı. Koruktum, üzüm oldum şimdi. Artık kendimi ekşi yüzlü gösteremem ki. Halk, "Böyle olmamak gerek" diyor. Böyle değilim ben de, beni, o böyle yaptı. Ve yine:

— Çöp atlayamazdım zahittim, dağ gibi ayağımı diremiştim. Fakat hangi dağ var ki, seni tanısın, onu saman çöpü gibi kapıp gitmesin. Seni övmek gerçekten de adamın kendisini övmesidir. Çünkü güneşi öven kendini övüyor demektir...

Mevlâna'ya dedim ki sen ve yarenlerinin mal mülk adına neyi varsa, can aşkına, aşkın canına bağışlayın.

Mevlâna şaşırdı.

— Anlamadım, diye cevap verdi.

Dedim ki Hz. İbrahim'i anlatayım, dinle:

Allah, onu Nemrut'un ateşinden kurtardıktan sonra İbrahim Aleyhisselam minnettarlığının bir ifadesi olarak bin koç, üç yüz öküz ve yüz deve kurban etti. Daha önce kimse böylesi bir cömertliği ne görmüş, ne de duymuştu.

Bu kadar büyük bir serveti neden bağışladığı sorulunca, İbrahim Aleyhisselam, "Ben kendi canımı bile O'nun uğruna feda ederim. Malımı feda etmişsem ne olmuş? Zaten kimin malını kime feda etmişiz ki? Benim ve sahip olduğum her şeyin sahibi Allah'tır. Bağışladıklarım hiçbir şeydir. Allah'ın uğruna en değerli şeylerimi bile feda ederdim. Meselâ, bir oğlum olsa, Allah isterse onu bile O'nun yoluna kurban ederdim" dedi.

Bayezid-i Bestâmi Hazretleri'nin talebeleri bir gün kendisine şeytanı şikâyet ettiler ve "Şeytan imanımızı alıyor" dediler. Şeyh şeytanı çağırdı ve onu sorguya çekti. Şeytan:

"Kimseyi bir şey yapması için zorlayamam. Allah'tan o kadar çok korkarım ki bunu yapmaya cesaret edemem. Aslında, insanların birçoğu bazen bir ıvır zıvır için imanlarını atıyorlar. Benim tek yaptığım atılan imanları toplamak" dedi.

Şeytan da bir şey hariç bütün insani özellikler mevcuttur; şeytan aşkı bilmez. Aşk şeytana verilmemiştir. Aşk âdemoğullarına verilmiştir.

Allah (c.c.), Cebrail Aleyhisselam'a, "Ya Cebrail! Seni bir âdemoğlu olarak yaratsam bana ne şekilde ibadet ederdin?" diye sordu.

"Ya Rabbi! Sen her şeyi bilirsin, olmuş olanı, olacak olanı ve olması muhtemel olanı. Cennetlerdeki ve dünyadaki hiçbir şey Senden gizli saklı değildir. Benim Sana nasıl ibadet edeceğimi de bilirsin. Allah: "Bilirim yâ Cebrail, kullarım bilmezler. Anlat ki dinleyip öğrensinler!" buyurdu.

Cebrail Aleyhisselam: "Ey Allah'ım, bir âdemoğlu olsaydım Sana üç şekilde ibadet ederdim. İlk olarak, susuzları sulardım. İkinci olarak, ayıp şeyler işleyenlerin ayıplarını setrelerdim. Üçüncü olarak da fakirlere yardım ederdim." dedi. Bunun üzerine Allah (c.c.) da, "Bunları yapacağını bildiğimden Ben de seni buyruklarımın hâmili kılıp peygamberlerime gönderdim" dedi.

Şeytanda insandaki özelliklerin biri hariç hepsi vardır.
Şeytanda eksik olan tek nimet aşk.
Şeytanın insanı çekememesi aşksızlığındandır.

Şeytan cenneti hiçbir zaman görmemiştir. Cennetteki yılan çok güzel bir şeydi. Dört bacağı vardı; fakat Âdem Aleyhisselam'ın başına gelenlerden sonra Allah onun bacaklarını aldı ve karnı üzerinde sürünmesini emretti. Kadınlar için derisinden çanta ve ayakkabı yapılır. O yılan, şeytan değildi fakat bu olayın gerçekleşmesi lâzımdı. Hz. Âdem yasak ağacın meyvesini yemeliydi; bu yüzden Allah şeytanı anlık olarak yılanın dilinin ucuna koydu.

Burada çok ince bir hikmet vardır. Şeytan zehirdi, yılan değildi. Şeytan dil bile değildi. Sadece ve sadece yılanın dilindeki zehirdi. Bu, bizleri saptıran şeyin dillerimizin ucundaki şeytan olduğunun bir işaretidir.

Allah, Hz. Âdem'i cennetten çıkarırken şöyle buyurmuştur: "Birbirinizin arkasından konuşarak, birbirinizi lânetleyerek, düşün ve birbirinizin düşmanı olun."

Şeytan bir zamanlar melekti, hatta meleklerin hocası idi. Adı da Hâris'ti. Hâris, çok hırslı demektir. Allah'a ibadet etmekte çok hırslıydı. Kâinatta secde etmedik yer, hatta nokta bırakmamıştı. Fakat Allah (c.c.), Hz. Âdem'i yaratınca şeytan yaptığı ibadetlerin kendisine özel bir hak tanıdığını düşündü. Kibirlendi, bu yüzden Allah ona Âdem'e secde etmesini söyleyince, kabul etmedi. Geçmişteki ibadetlerinden kaynaklanan kibri Allah'ın rahmetinden uzaklaştırılmasına ve cennetten kovulmasına yol açtı.

Allah cennetten çıkıp cehenneme gitmesini söyleyince şeytan, O'na binlerce sene ibadet ettiğini ve mühlet istediğini söyledi. Allah ona kıyamet gününe kadar mühlet verdi. Şeytan da bu zamana kadar bütün insanları kandırıp saptırmaya çalışacağını söyledi. "Önlerinde, arkalarında, sağlarında ve sollarında olacağım" dedi.

Allah buna izin verdi; fakat şöyle buyurdu: "Senin bütün takipçilerini cehenneme atacağım ve Ben de kullarıma altlarından ve üstlerinden tecelli edeceğim."

Gördüğünüz gibi şeytan dört yönü alarak üstümüzü ve altımızı Allah'a bıraktı. İşte bu yüzden dua ederken ellerimizi havaya kaldırırız ve secde ederken başımız yere bakar.

Bir gün Mevlâna'nın müritlerine sohbetinde Sivas şehrinde Ahi Muhammed Divane şeyhi ve üstadı olan Eseddin Mütekellim: "Siz nerede olursanız olunuz, o sizinle beraberdir." (Hadîd, 4), âyetini tefsir ediyordu. Dayanamadım, ayağa kalkıp herkesin gözü önünde misafir hocaya sordum:

— Allah kulla nasıl beraber olur?

— Tebrizli, "Senin bu sorudaki amacın nedir?" dedi.

Fakat o ne kadar yumuşak davranıyorsa o kadar da kızıyor ve öf püf ediyordu.

— Burada gezerim, ne anlamı var? Bu soruda bir garez düşünülmez. Sen diliyle bağlanmış bir köpeksin ve eziyet etmeyi kendine huy etmişsin, Allah sizinle beraberdir, diyorsun. Allah kulla nasıl beraber olur, dedim.

— Evet, Allah ilmiyle kulla beraberdir; dedi o da.

— İlim zattan ayrı değildir. Hiçbir sıfat da zaten ayrı değildir dedim.

— Eski sorular soruyorsun, dedi o, bunun üzerine.

— Eski mâna ne demek; hâşâ, bunlar yeni doğdu, dedim.

Bunun üzerine o aciz kaldı. Kalktı baş koyup saygı göstermekle meşgul oldu.

"İşte kelâmcı budur" der halk ve çokları da ona itikat eder.

KİMYAMI ALT-ÜST EDEN HATUN

| Ben aşkın tadını Mevlâna'dan,
Taşkınlığını ise Kimya Hatun'dan öğrendim.

Konya bıraktığım gibiydi. Fırtına öncesi sessizliğindeydi. Durulmuş gibi gözüküyordu ama bu durgunluk Mevlâna'nın hatırına "Şems'e bir fırsat daha verelim" dercesine gönülsüzdü. Halk ve ulema bana karşı arenada aslanın önüne atılmış kurbanlık köle gibi tavırlıydı. Onların temkinli duruşu ve beni bir patlatılacak dinamit gibi tehlikeli görmeleri hiç umurumda değildi. Aşk, ağzında dinamit ateşle öpüşmekse, hoş patlamışım, dağılmışım ne fark ederdi. Mevlâna için gelmiştim. Değişecek olan ben değildim. Beni kabullenmeleri için de mihnet borcum yok ya. Mevlâna'ya dedim ki: Senin için geldim Konya için değil. Deselerdi ki bana, Tebriz'e gelsen baban kabirden kalkıp dirilecek, vallahi kılımı kıpırdatmazdım. Onlara taviz vermemi bekleme, belki de eskisinden beter olacağım. Benimle yaşamak zordur. Sana demiştim. Şems dün neyse, bugün de, yarın da aynı Şems'tir.

Mevlâna bu sefer beni devamlı Konya'da alıkoyma kararındaydı. Bana, yanı başında bir ev bark kurmak, bir aile ocağına bağlamak, böylece Konya'da kalıcı yerleşmemi sağlamak niyetindeydi. Konya ve halkını çok iyi tanıyordu Mevlâna. Yarın bir gün benim için yine ileri geri söz edeceklerdi. Dünya ham insanlarla doluydu. Onlar böyle ilâhî bir sohbeti hazmedecek, bu sohbete girecek, burada pişecek kişiler değillerdi. Onlar, işin yalnız dış yönünü gören, Mevlâna'ya sahip olmak isteyen kişilerdi. Şems uzaklaşırsa her şey yoluna girer, Mevlâna yine kendileriyle birlikte olur, sanıyorlardı. Hâlbuki hiç de öyle değildi. Mevlâna'ya, ben can gibi ruh gibi gerekliydim. Canı tenden ayırmak ne ise, bizi birbirimizden ayırmak da oydu. Fakat bu, kime anlatılır, kime dinletilirdi? Mevlâna bu düşünceyle, bu endişeyle, beni tekrar yitirmekten korkuyor, beni Konya'da alıkoymanın çarelerini arıyordu. Biliyordu ki bir daha gidersem ilelebet dönmezdim gayri.

"Kimya" adında, yanında büyümüş, terbiye almış, melek huylu zahir ve batın edepleri ile süslü, güzel bir evlâtlığı vardı. Üstelik bu kızda, tasavvuf ehline yaraşır bir safiyet, bir gönül zenginliği mevcuttu. Mevlâna, küçük yaşından beri, onu kendi çocuklarından ayrı tutmamış, öz evlâdı gibi sevmişti. Onu benimle evlendirerek, böylelikle Konya'ya yerleşmemi uzun uzun düşünmüştü. Sakındığı hususlar da yok değildi. Birinci çekindiği husus, bu evliliği kabul edip etmeyeceğim. İkincisi Şems yaşlı, kız genç. Üçüncüsü Kimya'yı öz oğlu Alâeddin de gizliden gizliye tek taraflı olarak seviyordu. Küçük oğlu kendisine düşman olabilirdi. Tam bir çıkmazın içerisindeydi Mevlâna. Bir başka husus da Kimya'ya Konya'nın ileri gelen hocalarından birkaç tanesi oğulları adına dünür olmuştu. Bütün şıkları düşündü, eledi... Sonuçta Kira Hatun ve Sultan Veled ile istişarede bulunur. İlk geldiğim günlerden bu yana bana temkinli ve soğuk duran Kira Hatun, "bu evliliğe karşı çıkar" diyenleri yanıltan bir tavırla olumlu yaklaşır. Sultan Veled "Babacığım sen en iyisini bilensin. Senin endişelendiğin husus kardeşimse, meraklanma ben Alâeddin'i ikna eder tepkisini engellerim. Kimya bacım ne der onun fikrini de almak lâzım", der.

Mevlâna, ilk eşi Gevher Hatun vefat edince uzun süre evlenmeyi istememişti; ancak onu sevenler daha önce Hıristiyan olan ve kocası ölünce üç çocuğu ile dul kalan Kerra Hatun'la evlendirmişlerdi. Onun çocuklarını da kendi çocuklarından ayrı tutmayan hatta kendi çocuklarından daha titiz sevdiği üvey kızına düşüncesini açınca Kimya sükût etmiş "Babam beni benden iyi bilir" diyerek babasının fikrini onaylamış. Kimya gibi ezel terbiyesi almış bir kız için sebep teşkil etmezdi. Benim aşk ilhamım karşısında o kız, kısa zamanda "hâl ehli" bir hatun olurdu olmasına da bu evliliğe sıcak bakmayan sadece Alâeddin değildi, ben de pek istekli değildim.

Şimdi asıl mesele, beni böyle bir izdivaca ikna etmekti. Ben ki ömrünce evliliği düşünmemiştim. Yaşım altmış sekize dayanmış, bunca sene kadını aklımdan geçirmemiştim. Evlilik gibi bir derdim olmadığını Mevlâna da biliyordu. Onu esas terleten nokta da buydu. Bir sohbet sırasında, bu konuyu bana açtı.

— Kimya Hatun'dan ne güzel yoldaş olur öyle değil mi Şems?

— Kime?

— Tabiî ki sana.

— Beni az çok tanırsın. Bu yaşa kadar aklımdan zerre miktar kadın geçmedi şükürler olsun.

— Allah kadınları bize eş kılmadı mı?

— Kadın bazısına eş, bazısına da leştir.

— Bak cancağızım, Kimya taze bir kız, ben ise şehvetten kendini arındırmış erim. Sana Hz. İsa'nın Mecdelli Meryem'e dediğini derim. Mecdelli Meryem İsa'ya âşıktır, ondan evlilik teklifi beklemektedir. İsa durumu anlar ve der ki "Evlilik vücut işidir, boşuna bekleme bende vücut yok".

— Ben istiyorum ki yalnız olmayasın, bir sohbet yarenin

olsun. İsterim ki abdest suyunu döken olsun. Kadının lâtifliğini Allah bizlere ihsan etmiştir. Yoldaşlık bedenle olmaz, gönül muhabbeti de gıdadır ruha. Amacım odur ki Şems'im manevi lezzeti ile Kimya kızımı da beslesin. Kimya'm da dostuma hâldaşlık etsin.

Mevlâna'nın sözleri ile düşünmeye başladım. İkna etmesindeki maharet söyledikleri değil, söyleyemedikleriydi. "Ey Şems, sen benim için alemden öte aşksın, maşuğumsun, içimde korkular tünüyor tekrar gidersen diye, nasıl dayanırım bir daha gidişine. Yorgun yüreğim çatlar sürgünlere salarsan kendini. Kimya ayağına pranga olmasın, sana açlığım Kimya'yı yüreğinden bağlasın, Kimya da sana pranga olsun ki korkularım yersiz çıksın. Anla işte biçareyim, divaneyim sana bağ olarak kızımı vereyim de gelmesin başıma korktuğum. Korkularımı boşa çıkarmak için, beni sevdiğin için kabul et evliliği."

Dostun yüreğinde sancı sancı oturan ifadeleri okumuştum. Kararımı ancak Kimya ile konuşunca kesinleştirecektim.

— Buna Kimya da razı ise makbulümdür. Mademki esmesi mutlak fırtınaları benim için göğüslenmeye heveslisin, haydi istediğin gibi olsun.

Kimya ile yüz yüze konuşmak istedim. Dergâhta yıllarca kalmama rağmen kendisini ilk kez görecektim. Niyetini, hakkımdaki görüşünü öğrenmeliydim. İçime sinmeyen yanımı ancak o dindirebilirdi cevapları ile.

— Benim için sana ne anlattılar, ne söylediler duymuş gibi biliyorum. Ben gözleri de gönülleri de okuyanım.

— Başkalarının sözü ile hareket etmem. Kulağım dışarıya sağırdır.

— Cevabını takdir ettim.

— Merak ettiklerin varsa çekinmeden sor.

— Bu yaşına kadar neden evlenmedin? Arzuların, tutkularının hiç mi olmadı?

— Gençliğimde hemen hemen her günü oruçla geçirmenin sebebi içimdeki gelişecek olan cinsel tutkuları yok etmekti. Bunu başardım. Şehveti öldürdüm. Hiçbir varlığa cinsel arzu duymuyorum. Aşkı tutku olarak görmüyorum, sevgiyi şehvetle perdelemem. O nedenle altmış sekiz yaşına kadar bekâr kaldım.

— Kadınlar için ne düşünüyorsun?

— Evlenmeyişimin nedeni kadınlardan nefret ettiğimden ya da onları kötülüğün sebebi gördüğümden değil. Kadınları şeytan olarak gören sapkınlardan değilim. Allah'ın emanetidir onlar. Ben masivadan el etek çektim. Ne kadın, ne yiyecek ne şeref ne de para pul gözümde yoktur. Hz. İsa Efendimize de birçok kadın âşıktı, ancak o kadından yana feragat etti. Ben de aşk yolunda İsa'laştım.

— Peki ya şimdi İsa'ya ne oldu?

— Baban beni "Bana üç şey sevdirildi: Namaz, güzel koku ve kadın" diye buyuran Muhammed Efendimiz'in sünnetine davet etti.

— Ne güzel bir davet bu.

— Davet edilen de, eden de ne güzel.

— Gençsin güzelsin, onlarca talibi olan Kimya neden Şems'i kabul etti?

— Feda için.

— Neyin fedası, neye fedadır?

— Hiç… Fedakârlık… Sadece aşka fedakârlık.

— İkimiz de Mevlâna'yı mutlu etmek için rıza göstereniz öyle değil mi?

Kimya öyle güzel konuşuyordu ki karları erimiş dağdan akan bir billur pınardı. Gün boyu dinlenilse doyulmayandı. Sesi kâh gül yaprağı, kâh sabah çiği. Kelimeleri bir ney üflemesi gibi yanık, bir kadife gibi yumuşak, gözyaşı misali ılık. Asya, Hint destanlarındaki Hurşid, Kimya'nın yanında sadece bir tomurcuk kalır, ama bende Cemşid'lik yok. Kimya'nın ayağının önüne gezegenleri sererdim; ancak güneşte ışık sönmek üzere. İçimdeki şehvet canavarını öldüreli seneler oldu. Kadınlarla avunacak yaşta değilim. Kadınlardan kaçtım. Ateşimi güneşe yolladım yollayalı artık bir külüm, parmak ucu kadar kâğıdı bile tutuşturamayacak kadar sönmeye yüz tutmuş bir kül. Neyim varsa Mevlâna'ya adamıştım. O konuşurken ben gökyüzünde sütbeyaz süzülen turnalar gibi dalmış gitmişim. Baktım, bakışları mavi gözlerimde.

— Yanan ve yakan ateştim, artık yavaş yavaş sönüyorum bilesin.

— Bütün ateşini babama mı savurdun?

— Hayır, o zaten yanıyordu. Ben sadece rüzgar oldum.

— Sen de herkes gibi babanı değiştirdiğimden şikayetçi misin?

— Babam seninle mutlu. Müşteki değil, bilâkis minnettarım size efendim.

O düşünedursun fedakârlığa adanmanın derinliğini ben Kimya ile ilgili düşüncelere dalmışım sessizliğin ortasında. Kimya Hatun yaşı taze, hayatın körpe gülü. Birçok taliplisi var. Başta Alâeddin olmak üzere nice genç delikanlı onun için yanıp kavrulmakta. Bir yürüdü mü bahçedeki gülleri kıskançlıktan solduracak kadar güzel. Alnı ayın şavkı. Gözleri gece karası. Salkım

salkım saçları gül yüzüne perçem perçem düşen Kimya. Yaşıtları bütün kızlar ona imrenmekte hem de onu kıskanmakta. Nazar dokunur diye sakınılacak güzellikte bir cennet bağı. Aşk için fedakârlığın örneği. Mevlâna, benimle ilgili düşüncelerini Kimya'ya açınca, tereddütsüz, tedirgin olmadan şu cevabı verecek kadar asil bir hatun: "Babacığım Şems'e olan aşkını biliyorum. Aşkın için adanmışlıksa benden isteğin bil ki binlerce Kimya sana ve Şems'e feda olsun. İsmail teslimiyetiyle dünyalığımı adarım Şems'e. Bunu sırf senin gönlünü ferahlatmak için değil, meleklerin gıpta ettiği ikinizin aşkına nail olmak bana da şeref verecektir. Vazgeçmişim dünyalık her şeyden, yeter ki sizin aşkınızdan ben de nasipleneyim. Ben de bir Züleyha olayım."

Kimya ile evlilik konusunu yüz yüze konuşmama rağmen içimdeki sıkıntı dinmemişti. Tedirgindim. Mevlâna'yı üzecek olursam diye. Tereddüttéyim senelerdir gönlümde taşıdığım aşk yolculuğundan tökezlersem diye değildi endişem. Aşk için hayatındaki her şeyi bir çırpıda silen, aşk uğruna bütün herkesi karşısına alacak kadar çırpınan, maşuk için her şeyini feda eden Mevlâna'yı üzersem diye çekiniyordum. Hayatımda ilk kez böylesine bir korkuyu yaşıyordum. Cesur Şems ürkek ceylana dönmüştü. Ya Kimya Hatun'u mutsuz eder de maşuğum kahrolursa. Gönülsüz evlilik göz kamaştırıcı neşeleri pek davet etmez. Mevlâna'dan başka maşuğum olmamış ve gönül kamaştırıcı ısmarlama evlilik, bilinçli ya da bilinçsiz olarak içimizde geliştirmiş olduğumuz ideal maşuk modelinin birdenbire karşımıza çıkmasıdır. Kadınlara kapıları kapatalı çok olmuştu. Kalbim ile kavlim arasına kapı koymuştum. Kimya, seneler önce aşka verdiğim sözün sadakatine anahtar olamazdı. Hem on sekiz yaşın çılgınlığı, hem de altmış sekiz yaşın susuzluğu ile sevmek arasında gelip gittiğim dalgalarda boğulmak da işin cabası. O çürümeye yol alan yaşlı dünyamın tek kadını, tek gönül tesellim. İnsan bir başkasına rehberlik ederken dahi bir rehber tarafından idare edildiğini anlıyor.

Ya beni küçümserse diyordum; ya zayıf bulursa, ya sevmezse? Ama sevginin maskeye ihtiyacı yoktu. Tektim ve beni bütünümle seviyordu. Sevmeye mahkûmdu. Yalnız beni sevmişti ve yalnız beni sevecekti. Bu ilk ve son aşkındı Kimya. Ne manidar konuşmuştu. Bir pınar sesi kadar berraktı, bir kuş cıvıltısı kadar bakir. Aşk insanı gerçekten çocuklaştırıyor. İnanmış görünen bir adam yapıyor yani.

Gökyüzünde bir Süreyya'dır Kimya; görülen ama ulaşılamayan, yeryüzünde bir Firdevs, hayran olunan ama yaşanamayan... Kimya mânaya aşiyandır, sırra ayandır. Senelerin getirdiği hal üzere maneviyat deryasında ilahi aşka açtır, susayandır. Susamışlığı ile suskundur. Sanki onun beklediği de bendim. Dualarla, rabıtalarla avunmuştur. Meryem misali sükût oruçları tutmuştur.

Kimya kendini saklamış bir hazinedir. Harami bakışların ihlâlinden sakınmıştır. Kendi hemcinslerinden bile kendini saklayacak kadar hicaplıdır. Sakınır aynalardan güzelliğimle kibirlenmeyeyim, o habis hastalığa yakalanmayayım diye. Sadedir Kimya. Asudedir. Asaleti takvada bulan Fatma'dır. Hayatın şımarıklığına kapatmıştır kapılarını. Nerede bir yetim yürek görse naif sözlerle ruhları okşar. Yaşıtları çeyiz telaşında iken o, "ahlâktan ve iffetten daha güzel çeyiz mi olur" der.

Çölde yalnızlığı ile Yaradan'a teslimiyet gösteren Hacer'dir Kimya. İnandığına güvenen, güvendiğine "neyim varsa sana, yoluna fedadır" diyen vefakâr Hatice'dir Kimya. Dünya oyuncaklarına tamah etmeyen, hayallerde yaşamayan esas zenginliği iç güzelliğinde gören bir Rabia'dır Kimya. Dualarında hiçbir zaman dünyalık istemeyen, ömründe bir kez olsun kendisi için dua etmeyen asaletli bir kahramandır Kimya.

Hangi Kimya sırrını çözebilir di Şems'in?
Hangi Kimya güneşte erimezdi ki?

Mevsim kıştı, medresenin sofası, perde ile bölünerek, bir oda haline getirilmişti. Mütevazı bir nikâh merasiminden sonra, yeni evlilere bu sofa verildi. Nikâh duamızı Sultan Veled ve Hüsamettin Çelebi'nin şahitliğinde Mevlâna okudu. Mehir konusu açılmadı, ancak ben söz alarak:

— Kimya Hatun mehir olarak sana sunacağım bir çöp bile yok. Varım yoğum kulluğum, onu da Allah'a sunmuşum. Başım feda olsun, diyeceğim; ancak başımı baban için adamışım. Sana mehrim, yalnızlığına vereceğim hasbıhâlimdir. Sözlerimden başka servetim yok bilesin. Kimya gözlerini tebessümle tamam mânasında açtı kapadı.

İlk gece odaya girdiğimde:

Kimya ilk gecenin korkusuyla ürkek bir tavşan gibi titreyerek odada bir duvardan diğerine yürüyordu. Kandilin ışığında zayıf ve küçük bedeninin gölgesi tavanı kapatıyordu. Dergâhtaki kadınların ilk gece yaşanacaklar ile ilgili kötü telkinleriyle tedirgindi. Parmaklarını çıtlatıyor, avucunu ovuşturuyor, ne yapacağını bilmeyen avcının elinden kaçmaya çalışan bir ceylan gibi odanın içinde dolaşıyordu.

— Takatin kesilmiştir, otur istersen.

— ....

— Abdestli misin?

— Evet.

— Âdetlerin canı çıksın. Zihaf namazı diye bir şey yok. Üstelik aramızda zihaf da olmayacak. Şimdi yatsı namazını birlikte kılalım ve sen yatakta uyu.

— Ya sen.

— Ben Kur'an okuyacağım. Uykum gelirse eşikteki minder yeter bana.

— Babam eşikte yattığını duyarsa üzülmez mi?

— Söylemezsek üzülmez. Birlikte namazı kıldıktan sonra "Allah rahatlık versin" dedim. Kandili söndürdüm. Pencerenin kenarında ayın ışığında Kur'an okudum.

Kimya ile yaşadığımız sofa, medresenin avlusuna bakıyordu. Mevlâna'nın ailesi ve çocuklarıyla birlikte oturduğu bu küçük medrese, hepimize konaklık ediyordu, tüm aile bir arada oturuyorlardı.

Kimya, susması gerektiğinde susan, konuşması gerektiğinde konuşan, kelimeleri özenle seçen, nezaketini, hürmetini esirgemeyen, ahlâkı ile gönlümde her geçen gün büyüyordu. Benimle sohbet etmeyi seviyordu. Sanki senelerdir bir kafeste tutulmuş ta konuşmaya, dinlenilmeye aç bir kuş gibiydi. Dergâhtaki kadınlar ve annesi "Kadın kısmı az konuşur, hatta hiç konuşmaz" diyerek hep susturmuş Kimya'yı.

Kimya Hatun gün geçtikçe ilahi aşk yolunda arifan olmaya başlıyordu. Bir gün dedi ki:

— Aşkta bakış önemli mi?

— Elbette.

— O hâlde biz ilahi aşk içerisinde Cemalullah'a nail olacağız öyle değil mi?

— Aşk bakışta kıvılcımlanır, görmek değil, bakıştır sırrı çözen. Hz. Yusuf'u gören kadınlar onu bir an görünce sadece parmaklarını kestiler. Ya bir de bakıştan Yusuf aşkı gönüllerine girseydi tepeden tırnağa kendilerini doğramazlar mıydı?

— Ruhlarımız Elest aleminde gördükleri Cemalullah'ın aşkından habersiz mi şu dünyada?

— Her ruh habersiz değildir. Sırrı gaflete gömen göremeyecek. Sırrı çözen o nazara erecek.

— Gül ve gonca sırrı yani.

— Güya "kimi gülistanda gonca gül olur" imiş. "Kimi gonca güle hâr (diken) olur gider" imiş...

— Şimdi anlıyorum babamın ne denli sana divane olduğunu.

İlk günlerden sonra mahzun, ürkek Kimya gitti yerine güleç, konuşkan, çocuksu hareketler gösteren bambaşka Kimya geldi. Dergâhtaki kadınlar Kimya'nın bu haline şaşırmışlardı. Aralarında güya Kimya bu evliliğe tahammül göstermez, canına kıyar mı kıymaz mı diye bahse tutuşmuşlardı. Beklentilerin aksine mutlu bir Kimya ile hepsi şaşkındı. Olup bitene anlam veremiyorlardı. Haftalar sonra Kimya'nın hal ilminde geliştiğini, ilim-irfan hitabetleri ile dergâhtaki kadınları hayrete düşürdüğünü duyan halk ve kadınlar ona imrenmeye, onu kıskanmaya başladılar. Hele Kimya'nın "Siz Şems'i tanımıyorsunuz, hepimiz yanlış tanımışız. Ben onun yanında öyle feyzler tadıyorum ki gün boyu yanı başımdan ayrılmasın istiyorum. Namaza durduğunda bir an önce bitse de muhabbetine devam etse diye sabırsızlanıyorum" dediğinde, duydukları karşısında hepsinin beti benzi değişmiş.

Mevlâna'nın Sultan Veled'den birkaç yaş küçük, ortanca oğlu Alâeddin Çelebi, o günlerde genç bir delikanlıydı. Evin bu teklifsiz oğlu, bazen arkadaşlarıyla birlikte medreseye girip çıkıyor, bu haller beni üzüyordu. Alâeddin bir gün yine, medrese avlusuna açılan sofanın önünden geçmişti. Alâeddin Çelebi'ye şöyle bir ihtarda bulundum:

— Ey gözümün nuru... Zahir ve batın edepleriyle bezenmişsin amma, benim odamın ve pencceremin önünden geçerken biraz hesaplı hareket etmen icap eder.

Genç Alâeddin Çelebi, bu sözlere kırılmış, biraz sertçe cevap vermişti:

— Kimin evini kimden kıskanıyorsun şeyhim.

Bu söz o günden itibaren aramızdaki soğukluğun iyice buz tutmasına sebep olmuş, gönlüm incinmişti. Alâeddin'in densizliğine karşı içimden ona şiddetli bir sesle bağırmak geçti. Mevlâna'nın hatırı olmasa bir şimşek bakışımla onu oraya sererdim.

Önceleri bana karşı gelen, Konya'dan uzaklaşmama sebep olan topluluk, aslında yatışmış değildi. Konya'ya döndükten sonra, benden özür dilemelerine rağmen pusuda bekliyor, fırsat gözlüyorlardı. Bu sefer aralarına, şehrin ileri gelen birkaç softasını da almışlardı. Alâeddin Çelebi gibi bıçkın bir delikanlıyı da saflarına katmışlardı. Muhalif cephem kalabalıklaşıyordu.

Bir gün medresenin bahçesinde dervişlerle sohbet ediyordum. Alâeddin destursuz olarak sözümü kesti:

— Bu dünyanın kutbu dedem ve babamdır. Siz mum alevinden medet bekliyorsunuz, diyerek beni tahrike yeltendi.

— Mevlâna'da ledün ilminden inciler vardır. O konuşurken sözlerinin kimseye faydası olup olmayacağını hesaba katmaz, ama ben çocukluğumdan bu yana Allah ilhamı ile konuşurum. Birini sözümle cezbelendirir, akıllandırır, terbiye ederim. Bakmayın benim hırçınlığıma, sözüm haylazı terbiye eden kırbaçtır.

— Sen rüzgâr gibi yıkıcısın, bıçak gibi kesicisin. Senin sözlerinde beladan başka ne var?

— Mevlâna konuşunca uslu kedi gibi dinliyorsunuz. Ben konuşunca yırtıcı kaplan kesilip üzerime atlamak için fırsat kolluyorsunuz. Oysa o benim söylediklerimin aynısını konuşuyor. O sessiz, ben sesli konuşuyorum. Fark yok aramızda, Mevlâna beni takip eden bir taklitçi. O ne güzel bir taklitçi, diye cevap verdim. Alâeddin homurdanmaya başladı. Hiç tereddüt etmeden devam ettim:

— Boşboğazın biri boğazından hırıltı çıkarıyor. Evlat sakin ol. Herkes kendi yürek kitabını okur. İçin mezbaha gibi kan revan. Gözün lavlar püskürtüyor. Denizime gel de seni dinlendireyim.

Alâeddin birden ayağa fırladı, üzerime doğru yürümeye başlayınca ben de yerimden kalktım asayı ona doğru fırlatacaktım. Dervişler onu tutarak dışarı çıkardılar. Olay şehre yayılır yayılmaz, benden nefret eden fitneciler Alâeddin Çelebi'yi bir kenara çekerek:

— Bu ne cüret. Yabancı bir adam gelsin, kırk yıllık baba ocağına evlâdını sokmasın, bu görülmüş şey mi? Diye onu dolduruşa getirerek Onun toyluğundan faydalanmaya çalışıyorlardı. Hayatta bir aşksızlara bir de başkasının ağzına bakan zavallı ahmaklara acırım. Böyleleri ne yalak, ne aciz yaratıklardır. Alâeddin de bu zavallılardandı. Başkasının ağzı ile konuşmayı severdi. Sünepe, uyuz ve silik bir delikanlıydı o kadar. Bakmayın siz ileride beni şehit edenlerin içerisinde Alâeddin de vardı diyenlere. Bir tavuğu kesecek kadar yüreği olmayan ürkeğin tekiydi. Birden palazlanan saman çöpüydü o kadar.

Alâeddin, çevredekilerin dolduruşu bir taraftan, Kimya ile evlenişim diğer yandan öyle bir hale gelmişti ki neredeyse üzerime çullanıp boğacak azgın bir kuduz köpek haline gelmişti. Gözleri şimşekler çakıyordu. Ancak ısıracak köpek dişini göstermezdi.

Benim bulunduğum meclislere izinsiz giriyor, söze karışıyor, beni tahrik etmek için elinden geleni yapıyordu. Fitneciler bu duruma kıs kıs gülüyordu. Durumu Mevlâna'ya açtım. Üzüleceğini bilerek uzun süredir sabrediyordum. Benden duysun istedim. Bir şey söylemeden odadan dışarı çıktı. Doğruca Sultan Veled'in yanına gitmiş:

— Şimdi anlıyorum, Âdem babamızı. Bir yanda asi Kabil, diğer yanda asude Habil. Sivrilik ve yumuşaklık. Âdem babamızın ciğer acısını anladım. Arif Sultan Veled'im ve isyankâr bıçkın Alâeddin'im. Söyle ben ne yapayım oğlum?

— La tahzen baba. Allah var, sıkıntı yok. Alâeddin; cahil, kanı kaynayan bir yaştadır. Seni sever, muti bir evlattır. Onun hırçınlığı çevredeki fitnecilerin sayesindedir. Ben onunla konuşurum usulünce. Düzelir zamanla, sen dert etme babacığım.

Sultan Veled çok mûnis, yumuşak huylu babası gibi ilim düşkünü bir yağız yiğitti. Onu daha önceleri de sevmiştim. Ve çok seviyordum. Bambaşka bir hali vardı. Mevlâna'ya lâyık bir oğuldu. Gerek dergâhtaki bana hizmetlerinde, gerekse Şam'dan beni getirirken edep ve terbiyesi ile beni kendisine hayran bıraktırdı. Oğlum olsaydı Sultan Veled gibi olmasını dilerdim. Beni nerede görse halimi hatırımı sorar, bir arzum olup olmadığını öğrenmek isterdi. Sohbetlerime katılmak için icazet ister, ağzı açık pür dikkat beni dinlerdi. Sözlerimi sonradan kâğıda not aldığını duydum. Bu durumu öğrendiğimi duyunca gelip özür dilemişti. Ben de "Önemi yok, sen yazabilirsin gökkubbe altında kelâmlarımı kalem kalem yazdırmayı dileseydim kâtip olarak seni seçerdim" dediğimde öyle bir sevindi ki yanaklarımı kuzunun koyunu öptüğü gibi öptü.

— Yeter evlat, dudağınla abdest almışçasına yıkandı yüzüm.

Güldü. Sevinçle:

— Hakkınızı helâl ediniz efendim diyerek yanımdan ayrıldı.

Sultan Veled babasına verdiği söz üzere Alâeddin'i bir kahvehanede nargile içerken bulur. Kahvedekileri gözü ile süzünce hemen hemen hepsinin berduş ayak takımı olduklarını anlar.

— Ne işin var bu eli boşların yanında. Senin yerin gönlü hoşların meclisidir kardeşim.

— Bir ailede iki âlim yeter, ben fazlayım zaten.

— Bu ne biçim konuşma. Sen Mevlâna oğlusun unutma.

— Babam ne buluyor bu Şems denen delide.

— Ah kardeşim, gözlerin ne kadar da puslu. Bir şulesi var ki Şems'in, aydınlığının berraklığı gökyüzüne sığmaz. Ah kardeşim, sözlerin ne kadar paslı. Şems'in öyle muhabbeti var ki sanırsın cennet dile gelmiş konuşuyor.

— Gökyüzünüz de, güneşiniz de sizin olsun. Ben biraz da gayya kuyusunun karanlığını koklamak istiyorum.

— Afyon mu içiyorsun sen. Bu ne densiz konuşma. Senin büyüğünüm, üzerinde hakkım var. Görüyorum ki buradaki berduşlar benden itibarlı senin yanında.

— Siz Şems ile sarhoşsunuz, ben otla sarhoş olmuşum çok mu?

— Yazıklar olsun sana. Adam gördüm, ayağına kadar geldim, konuştuğun sözlere bak. Bugüne kadar seni kolladım, yanında oldum, sahiplendim. Bu andan sonra babamı ve Şems'i üzecek olursan karşında beni bulursun.

— Eşyalarımı gönderin, dergâha gelmeyeceğim artık. Başınıza çalın Şems'inizi.

— Babamı hiç düşünmüyor musun?

— Onun gözünün Şems'ten başkasını gördüğü mü var? Varsa yoksa Şems. Bu Tebrizli hepinizi iyi büyülemiş. En çok zoruma giden Kimya'nın da Şems'in büyüsüne kapılması. Kart adama vardı benim kendisini sevdiğimi bile bile. Bütün kadınlardan nefret ediyorum.

— Bacımız için ne biçim konuşuyorsun. Utan aşktan. Utan sevgiliden.

— Yürek Allah'ın elindedir.

— Hidayet de Allah'ın elindedir. Allah seni ıslah etsin. Sen yoldan çıkmışsın. Senin için dua etmekten başka çarem yok kardeşim. Eşyalarını gel kendin al.

Kimya, hikâyeleri ve Farsça şiirleri çok seviyordu. Sürekli benden hikâye anlatmamı, şiir okumamı isterdi. Ben derviş hikâyeleri şark menkıbeleri anlattıkça ağzı açık tatlı heyecanla dinlerdi. Bir keresinde Cemşid ile Hurşid'in hikâyesini anlattığımda öyle güldü öyle güldü ki sesi avludan duyulmuştu. Başta Kerra Hatun ve diğer kadınlar hayret etmişler.

Bir akşam sohbet esnasında ona bakarak tebessüm ettim. Sordu:

— Efendim neden gülümsediniz?

— Seni gördükçe tasavvufun dişi aslanını gözümün önüne getiriyorum.

— Kimmiş o dişi aslan?

— Rabia Adeviyye. Allah ondan razı olsun.

— Babam küçüklüğümde o mübarek insandan bahsetmişti. Hatta bir keresinde çarşıdan eve gelirken sokakta gördüğü bir Hristiyan kadına bakarak, ona üç kez "Rabia, Rabia, Rabia" demiş. Kadın şaşırmış, bu adam bana neden böyle seslendi diye. Merak etmiş araştırmış. Ona "Mevlâna seni Müslümanların velilerinden Rabia'ya benzetti herhalde" deyince iyice merak etmeye başlamış. Neticede Rabia Adeviyye'nin hayatını öğrenince ertesi gün dergâhımıza geldi. Hepimiz bu kötü işlerde çalışan kadının babamla ne işi olur diye merak ile avluya toplanmış içeride olup biteni bekleşmeye başlamıştık. Biraz sonra elinde Kur'an başını kapatmış şekilde çıktı Hıristiyan kadın. Dervişlerden öğrendik ki, Rabia Veli'yi araştırırken hidayet nuru ile tanışmış ve Müslüman olmaya karar vermiş. Babama kelime-i şahadeti okumuş ve müridi olmak istediğini iletmiş. Bu olaydan sonra dergâhtaki kadınlar Rabia'nın hayatını iyice merak edip babamdan öğrenmek istediler. Babam "Rabia olmak arzu işi değil aşk işidir, her yürek kaldıramaz Rabialığı" dedi. Ben de kütüphanede okuduğum kitaplardan öğrenmeye çalışırken babam geldi. Beni kucağına alarak Rabia Veli'yi anlattı.

— İşte sende "Rabia"lık gördüğümden gülümsedim. Sen de onun gibi çok yiğitsin.

— Sizden de dinlemek isterim o yiğit hanımı.

— Rabia-i Adeviyye, Basra'da dindar bir babanın fakir çocuğu olarak doğmuş, henüz ergen olmadan önce de vefat eden anne-babasından sonra da, fakirlik ve öksüzlük mihneti altında yalnız bir hayata mecbur kalmıştır.

Allah âdildir. Bir yandan alırsa, diğer yandan verir. Bu yokluk ve mahrumiyet, kendini Allah'a veren Rabia'da manevi duyguların inkişafına sebep olmuş; iç âlemine dönen Rabia, kısa zamanda günün, büyük velîlerinden Süfyân-ı Sevrî, Hasan-ı Basrî gibi zâtların da gıpta ve takdirlerine lâyık hâle gelmiştir.

Kulübeciğinin içinde serili bir hasır, köşesinde ise içi hurma yaprağı ile dolu bir minderciğinden ibaret ev döşemesi, onu hiçbir zaman üzmemiş, bilâkis huzur verip vecd almasına sebep olmuştur.

Nitekim kendisini ziyarete gelen Süfyân-i Sevrî, "Ya Rabia, arzu ederseniz yakınlarınız size yardım ederler. Bulunduğunuz bu mütevazi döşemeyi değiştirir, halinize bir çekidüzen verebilirsiniz." yollu bir teklifte bulunmak istemiş, ancak Rabia'nın cevabı kesin olmuştur: "Ben halimden müşteki değilim ki, onlara müracat ihtiyacını duyayım. Hatta içinde bulunduğum hâlden, bütün dünya elinde olana dahi müracaat etmedim. Nerede kaldı ki, o dünyanın zerresine sahip olan aciz insanlara rica edeyim!"

Rabia'da bir tek ölçü vardı. O da şu fani ömrün, İslam'a en uygun şekilde yaşanıp yaşanmaması idi. Şayet, dini emirlere tıpatıp uyan bir hayat yaşanıyorsa, onun nazarında işte bu hayat gayesini bulmuş, hedefine ermişti. İsterse o hayat, hasır üstünde geçsin, isterse hasır dahi bulamasın da toprak üstünde devam etsin...

Basralı zenginlerden olan Süleyman Haşimî kendisine bir mektup yazıp, kazancını ve ileride daha da çoğalacak servetini izah ettikten sonra: "Bütün bunlar senin emrine amadedir. Yeter ki, beni kabul eyle, nikâhım altına girmeye razı ol." deyince, Rabia'nın cevabı sert olmuştur: "Kazancınla mağrur olup, ona güvenme. Bunlar köpük gibidirler. Ne ölüme mani olurlar, ne de başına gelecek bir takdire. Sen yarın varacağın İlahi huzurda sana lâzım olana bak, onunla teselli ol. Bir de sakın ben ölürken vasiyet ederim de bu servetimle arkamdan hayır işlerler, diye

bir vesveseye de aldanma. Sen kendin kendine vâsi ol, serveti-
ni kendi elinle İslami hizmete harca, ölmeden vasiyetini kendin
yerine getir. Şunu da unutma ki, emrime amade edeceğini yaz-
dığın şey, gönlüme ağırlık, kalbime karanlık verir. Benim için ca-
zip bir şey olmaktan çoktan uzaklaşmıştır onlar..."

Hanımlar, ziyaretine gelirler, nasihat isterlerdi. Söyledikle-
rinden biri de şöyledir: "İyiliklerinizi de gizleyin. Tıpkı kötülükle-
rinizi gizlediğiniz gibi. İyiliklerini ilân etmek, rüzgârın karşısında
un savurmak gibidir. Alıp götürür. Eliniz boşta kalır."

Rabia, bütün varlığını imana, Allah aşkına adadığından bu
yüzden evlenmeyi bile düşünmemişti. Bir gün kendisine, niçin
evlenmediğini sordular. Cevabı şöyle oldu: "Üç şey vardır ki be-
nim bütün dünyamı dolduruyor. Evlenmeyi düşünmeye vakit
bırakmıyor." Sordular: "Nedir o üç şey?" Cevap verdi: "Son nefe-
simi verirken imanla gidecek miyim? Mahşerde kitabım sağım-
dan mı, solumdan mı verilecek? Halk, cennetle cehennem yo-
lunda ikiye bölününce, ben hangisinde yer alacağım."

— Onun hayatından hikâyen yok mu ey efendim.

— Olmaz olur mu, sen çok seversin anlatayım bir tanesini.

Bir gün namazda iken evine hırsız giren Rabia, namazını
bitirinceye kadar hırsızın bir şey bulamayıp eli boş döndüğünü
anlayınca seslendi: "Ey muhtaç adam, bari ibrikteki sudan ab-
dest alıp iki rekât namaz kıl da emeğin büsbütün boşuna git-
mesin..."

Hırsız şaşırmış, korkuyla karışık bir ruh hâline kapılmıştı.
Hemen abdest alıp orada namaza durdu. Rabia bundan sonra
ellerini kaldırıp dua etti:

"Ya Rab, bu muhtaç, benim evimde alacak bir şey bulama-
dı, onu Sen'in kapına gönderdim. Sen elbette benim gibi değil-
sin. Onu boş çevirmezsin."

Namazı bitiren hırsızın, tövbe etmeye başladığını duyunca, bu defa da şöyle yalvardı: "Ya Rab, bu adam kapında birkaç dakika bekledi, hemen kabul ettin; ama bu aciz, bütün ömür boyu kapındaydı, hâlâ böyle kabul edilemedim!" Kalbine doğan ses şöyleydi:

"Üzülme, onu senin hürmetine kabul ettik!"

— Bu olayı daha önce duymamıştım. Teşekkür ederim efendim.

— Niçin?

— Beni böyle bir âşık insana benzeterek onurlandırdığınız için.

— İltifat değil Kimya'm hakikat, hakikat. Haydi, yorgun ve halsizsin biraz uyusan.

— Efendim müsaade ederseniz dizinizde uyumak isterim. Namaza kadar rahatsızlık vermem değil mi?

— Hayır, buyur Allah rahatlık versin.

Edebi, melekleri imrendiren hatundur Kimya. Ne de olsa Mevlâna terbiyesinden geçmişti. Sıradan bir kadın değildi, şımarıklıktan, kapristen uzak bir hazineydi. Bana aşırı saygı duyması bazen beni mahcuplaştırıyordu. Bir keresinde uykum tutmamış, dışarı bahçeye çıkmıştım. Kimya uyanır uyanmaz beni odada göremeyince pencereye koşmuş ve beni yıldızları seyrederken bulmuştu. Elinde bir fincan ıhlamur ile yanıma yaklaşarak:

— Efendim üşüteceksiniz, bir fincan ıhlamur için lütfen.

— Teşekkür ederim, zahmet buyurdunuz.

— Hayır ne zahmeti. Bilâkis size hizmet rahmettir efendim.

— Sen içeri buyur, birazdan ben de geleceğim.

— Şems içeride yoksa oda bana zindandır bilmez misiniz?

— Sana Kimya ismini veren isabet etmiş.

— Neden?

— Nezaketin, ahlâkın insanın kimyasını alt üst ediyor da ondan. Beraberce gülüşerek içeri girdik.

Kimya ile evliliğimiz, dergâhta mutluluk halkalarına mutluluklar ekliyordu. Kimya yarenliği ile beni mutlu etmekte, benim mutlu olmam ve Konya'da kalmam Mevlâna'yı mutlu kılmakta, Mevlâna'nın mutlu olması Kimya'yı mutlu ediyordu. Kimya'nın mutlu olmasından Kerra Hatun mutlu, Mevlâna ise hepimizden daha çok mutlu oluyordu. Fitnecilerin umut ettiği üzere evlilik çalkantı ve çatırtı çıkarmamıştı. Fitne kazanı kaynayadursun, Alâeddin sinirden kudura dursun, dergâh huzur ile bahar havasındaydı. Bu baharı hazana çeviren tek şey Kimya'nın ani hastalığa yakalanışıydı.

Kimya Hatun'um bir defasında hasbıhâlimizde ölümü sordu bana:

— Ölüm nasıl bir şeydir?

— Sorun çok uzun cevap çok kısa.

— Anlamadım?

— Ölüm aşktır.

— Yine anlamadım aşk ve ölüm iç içe mi?

— Her ruh aşkla nikâhlanmıştır. Ölmek ayrılış değil bilâkis hakikatin gerdeğe girme halidir.

— Aşk ve ölüm de alış nasıl, ikram ne?

Ayağa kalktım. Kimya'nın elinden tutarak onu da ayağa kaldırdım:

— Sağ elini göğe, sol elini toprağa doğru aç. Gözlerini kapa, kâinatla birlikte dönmeye başlıyoruz. Sakın gözlerini açayım deme. Gökten sağ eline dökülenleri görmemen lâzım. Sol elinden toprağa düşen canları da görme, sadece sema et.

Sema bitince gözlerini açmasını istedim. Gözlerini açtığında Kimya Hatun'umun benzi sütbeyazlaşmıştı. Kalbinin atış sesleri odanın içinde yankılanıyordu.

— Ölümü soruyordun, şimdi anladın mı?

Sesi sevinç, harfleri çocuksu heyecanlarla:

— Anladım, dedi

— Gözleri açıp kapamak âşık için, sadece bu kadardı. Oysa aradan baharlar, yazlar geçmişti. Hüzün dolu güzler, çile dolu kışlar yaşanmıştı. Aşk ve ölüm anlıktır. Anın anıdır. Aşk ölümde dirilmek, ölüm aşkta kendini bulmak, birliğe ermektir Kimya Hatun'um.

— Size göre âşık kimdir?

— Bana göre âşık öyle olmalı ki, şöyle bir kalkınca, her tarafı ateşler sarsın; her tarafta kıyametler kopsun!..

— Keşke sizi yıllar öncesi tanısaymışım efendim, diyerek elimi öptü. Elim bu denli güzel koku tatmamıştı. Kimya ile muhabbet etmem onun öyle hoşuna gidiyordu ki gönlünde gurbet yaşayan kelimeleri sanki sohbetimle vuslata eriyordu.

Ey Kimya'm aşkı öğrenir öğrenmez
hemen ölüme koşmak olur mu?

Kışın soğuk kırağıları ağaçlara kardan önce tül tül örtülmüştü. İçime bir sancı çığ çığ düşüyordu. Aniden rahatsızlanmıştı Kimya'm. Önce yüksek ateş, ardından gece sayıklamaları ve halsiz düşünce başlayan şiddetli ağrılar. Birkaç gün sonra boynunda ve sırtında çıbanlar çıkmaya başladı. Hekimlere götürdük. Nafile, fayda etmedi. Çıbanlar vücuduna yayılıyordu. Üzüntüm onun gece ağrılarındaki inlemeleriydi. Başını dizime dayayıp okuyup üflüyordum. Soluğum ile ağrıları hafifliyor, uyuyabiliyordu. Öyle ki sabah ezanları okununca, namazımı oturduğum yerden kılıyordum, dizimde zar zor uyumuş olan Kimya'nın uykusu bölünmesin diye. Önce Allah'ın sonra Mevlâna'nın bana emaneti olan Kimya'nın hastalığı ve acı çekmesi beni kahrediyordu. Horasan'da çıbanları tedavi eden bir hekim olduğunu eskiden duymuştum. Kimya'yı Horasan'a götürmeye niyetlendim; ama yol eziyet eder, dayanamazdı. Hekimin Konya'ya gelmesi için haber yolladım. Gel gör ki hekim yolda iken Kimya Hatun'um Rahman-ı Rahim makamına hicret etmişti. Kimya'm ölmüştü.

Hayatımda ilk kez böylesine bir acıyı tatmış oluyordum. Ömrümce böyle bir derin acıyı daha önce yaşamamıştım. Kozayı yırtan kelebek uçmuştu, kayadan fışkıran pınar kurumuştu. Ölüm güzelliğine taç olmuştu da sanki aşka bizden önce pervaz etmişti onu. Onsuz oda sağır, duvarlar kördü. Kokusu sinmişti, masal diyarından gelmiş de göz açıp kapanıncaya kadar kalmışçasına tazeydi hâlâ kokusu elbisemde. Toprağa Kimya'yı değil gökyüzünü gömmüştük sanki. Kasvetli bulutlar yerdeydi, yağmur yerden yağıyordu göğe. Kimya Hatun'un bu denli müşfik olduğunu bilseydim ve içimde gidişinin uçurumlar açacağını anlasaydım başta evliliğe direncimi güçlü tutardım. Cenneti yaşadıktan sonra yitirmek herhalde acıların en tarifsizidir.

Kimya yürüyen cennetimdi. Altı aylık hâldeşliğimizde beni bir kez bile incitmedi, üzerime titrerdi. Annemden göremediğim şefkati, dervişlerde yaşayamadığım hürmeti, masumiyeti ile tattırdı. İçimdeki yetimliği, açlığı keşfetmişti âdeta. Gece üşümeyeyim diye üzerimi örter, sabah benden önce kalkar, abdest suyumu hazırlar, havluyu kendi eli ile yüzüme sürer, beni kurulardı. Sesinin asudeliği musikiydi bana. Bir kez bile yüzünü ekşittiğini görmedim. Bütün bunları bir mihnet ve vazife icabı değil, aşkla yaptığı belliydi. Samimiyetinden, nezaket ve letafetinden mahcup düşerdim. Hastalık dönemlerinde ah edip inlemezdi ki ben üzülmeyeyim diye, beni kendisinden, herkesten önce düşünen bir afet-i şuh idi. O güneşin gülüydü, güneşi güldüren gülşendi. Şimdi güneş nasıl gülsün Kimya'sız.

Kimya'mı toprağa verdiğimiz günün gecesi, çizgili bir sema... Yeryüzü bulutlu.. Var ile yok arası muamma! Kimyasız ilk gecem. Ölü bir oda. Kokusundan yoksunum. Sesini duvarlarda arıyorum. Taşları tırnaklamak ve bana onun sesini verin diye yumruklamak istiyorum sağır duvarları. Hayatımdaki en acı gece. En bitmek bilmez deli ve derin gecem. Ben de insanım. Taş değilim ya. Melek de değilim. Elbet ağlamak, yakınmak insana mahsus. Dünyanın bütün kayalarını göğsüme üst üste dizmişlerdi sanki. Boğuluyordum. Kimya soluğumdu. Şimdi anlıyordum Konya'dan gittiğimde Mevlâna'nın neler yaşadığını. Niçin Hamuş olup suskunluğun kuytusuna sığındığını.

Derin gözler ile çizgisiz, yer yer kuş motiflerinden halkalar bulunan beyaz bir yastık kılıfı ile yatağın başucunda

Kimya'dan yadigâr leylak renkli bir gömlek. Yerde serili el eme-ği, göz nuru dokuduğu bir kilim. Bir seccadenin üstünde ben. Düşünceli. Yorgun. Dargın. Ağlamaklı. Yani dağı karlı nehrin derin sükûtunu kuşanmış soğuk simasıyla yaşlı bir adam. Ellerim soluk, solgun. Dudaklarım alışılmışın dışında bir morla boyanmış. Gözlerim dingin çizilmiş… Kimya'sız bir ölü oda ve ben. Neyleyeyim. Aşk acısı, acıya "canım" dedirtecek kadar delice ve derinceymiş. Uçuruma düştüm. Ardımdan dağlar yuvarlanıyordu yine de dolmuyordu düştüğüm uçurum.

Alnımda kıvrılan ateşten su sesi gelmeye başladı. Bir çöl yalnızlığıyla dağların koynuna sokulmak istiyorum. Kimya kokmayan Gülizârı neyleyeyim. Ey Mihr-i bânım Kimya'm nerelerdesin? Mihr, Farsça'da muhabbet, merhamet demektir. Aynı zaman da güneş manasını da taşır. Bân, sahip manasında cı-ci ekidir. Mihribân; sevgiye dönüşen, sevgi soluyan demektir. Kimsenin yari Mihribân değil. Bu çağ Mihribânsızdır. Mihribân yoksuludur gecelerimiz. Yani güneşsiz. Sevgi Mihribânsızlaşınca insanlar hazzı, eğlenceyi, vakit geçirmeyi ve şehveti aşk sanıyorlar. Aşkın kimyasını öğrenmek isteyenler Mevlâna'nın Kimya'sı ve benim Mihribân'ım olan bu yüce hatunu tanısınlar.

Ah Kimya ahhh… Kimya'mı yaktın kül ettin. Seni yitik bir ömrün kısa bir diliminde tanıdım. Babandan önce seni tanısaydım Celaleddin'i değil, seni alemin Mevlâna'sı eylerdim; ama üzgünüm. Bu gönülde bir tek aşk var, o da babana nasip oldu. Şimdi sensizlikten suskunum Kimya'm. Ağlıyorum. Gözyaşlarım artık beynime akıyor. Ağlayış bile ağlardı Kimyasızlık ne demektir ah bir yaşasaydı.

Benim Konya'dan gidişim Mevlâna'yı suskun etmişti. Susmak güzeldi susmaya değer için. Şimdi ben suskunum yoksun diye Kimya'm. Suskunluğun sol yanımı bu denli üşüteceğini bilmezdim, zemherilerde yere düşürülmüş bir çiçek kadar çaresizdim; üşüyordum varlığın olmayınca odamda. Belki de alışacağım yokluğuna, en kötüsü bu. Unutacağım bildiğim her şeyi, artık gelmezsin. Ben artık senin hatıran tüten bu odanın her zerresinde suskun kalacağım.

Mevlâna ve Sultan Veled beni teselli etmek için gayret gösteriyordu, ama nafile. Acım derin. Acım cehennem çukurlarından beter yakıyordu içimi. Mevlâna'yı bir korku aldı. Ya şimdi Şems Konya'dan giderse diye. Teselli ettim:

— Kimya'nın hatırası kokan mekândan ancak beni ölüm götürebilir.

Kimya'nın ölüm haberi şehirde duyulur duyulmaz, beni çekemeyenler bunu fırsat bilip Alâeddin'i iyice fitillemeye başlarlar:

— "Kızcağız kahrından öldü. Şems'e kim tahammül edebilir ki?" diyerek yeniden dedikodu ve haset kapılarını açmışlardı. Sultan Veled dedikoduları duymuş beni teselliye gelmişti. İçim kan ağlıyordu:

— Gördün ya Sultan Veled, yine ne hale geldiler! Beni Mevlâna'dan ayırmak için, nasıl da sözbirliği ettiler; ama bu sefer öyle bir kaybolacağım ki kimse izimi dahi bulamayacak.

— Efendim bu aşk yolunda, babam için varlığın yokluğundan daha kıymetlidir. Siz demez miydiniz "Aşkta ölmeli, yok olunmalı ki gerçek dirilik olsun."

Alâeddin'e gelince. Eşyalarını dergâhtan alıp berduş takımı arkadaşları ile kalmaya başladı. İçkiye başladığı, Konya sokaklarında nara atarak dolaştığı duyuldu. Mevlâna bu haberi duyunca çok üzüldü. Dergâh âdeta bir tesellîgâh olmuştu. Kimya'nın acısından mahzun olan beni, baba-oğul teselli ediyordu. Alâeddin'in hoyrat asiliğinden ciğeri yanan Mevlâna'yı, ben ve Sultan Veled teselli ediyorduk.

Tamam, kabul ediyorum. Başlangıçta Konyalıların çoğu

beni sevmiyordu; ama beni öldürecek kadar da nefret etmiyorlardı benden. Birkaç çakalın çatlak sesinden başka bana muhalefet eden kalmamıştı. Halk gidişimden sonra yokluğumla benim kıymetimi takdir etmiş ve beni sevmeyenlerin sayısı iyice azalmıştı. Otorite ve şöhretleri sarsılan mollalar halkın bana dönen sempatisi sonucunda "Fetiyen Grubu"ndaki genç dervişlerden de umudunu kesmişti. Mevlâna'dan korkularından ve halkın tepkisinden çekindiklerinden hakkımda katlime fetva veremiyorlardı. Çareyi Konya dışından kiralık katil arayışında bulmuşlar, bunu da pek başaramamışlardı. Alâeddin'i bana karşı dolduruşa getirip üstüme salanlar da artık seslerini kısmışlardı. Alâeddin'in de beni öldürecek komplolara girmeyeceğini adım gibi biliyordum. Kabul etmek gerekirse Alâeddin bıyığı yeni terlemiş delikanlıdır. Heyecanlıdır. Ancak köpüğü erken sönen bir öfke sahibidir. Onun tavırlarını gençliğine ve cehaletine verdim.

Halkın dilinde dedikodu malzemesi yapıldığının geç de olsa farkına vardı. Kısa süre Konya'da kalmış olan Ahi Evren'in asilik tüten konuşmalarından etkilenerek ona biat etmek amacı ile onun peşi sıra Kırşehir'e çekip gitti. O Konya'dan gittiğinde gıyaben arkasından ona hakkımı helâl eylemiştim. Alâeddin, benim şahadetimden aylar sonra, Ahilerin Sultan Kılıçaslan'a karşı isyan hareketinde yaralanmış ve ölmüş. Cenazesi Konya'ya getirilmiş ve babası tarafından cenazesi kılınıp dergâha defnedilmiş.

AŞKIN ŞEHADETİ

> *Kör kuyulara atılmasaydım,*
> *bütün karanlığına rağmen nasıl görecektin güneşi...*
> *Şems olmak kolay mıydı canı canana teslim etmeden?*

Yedi kapı, yedi oda, yedi soru, yedi cellât... Yedi atlı, gecenin karanlığını yara yara yol alıyordu, yedisinin atı da safkan Arap atı. Yedi atlı tozu dumana katıyordu. Konuştukları dili anlayan yoktu. Gerçi pek konuştukları da yoktu. Şifreli kelimeler, bakışmalar, kaş göz hareketleri ketum hallerini iyice esrarengizleştiriyordu. Yedi atlı, yedi gündüz yedi gece yolculuktan sonra Konya'ya geldiler.

Gecenin siyah kanatları, kardan sütbeyaz bir giysiye bürüdüğü şehrin üzerini kapladı ve insanlar ısınmak için sokakları boşaltarak, evlerine kapanırlarken, kuzey rüzgârı bahçeleri darmadağın etme niyetiyle hanın üzerine üzerine esiyordu. Yedi atın yeleleri Moğol soluğundan beter rüzgârlar estiriyordu.

Yedi bıçkın, yedi bıçak kuru ayaza inat kan ter içinde hana geldiler. Yıllar önce aşkın elmasını parlatmak için gelen Şems'in konakladığı Şekerciler hanından içeri ölüm ıslığı gibi içeri girdiler. İçlerinden birisi, kırık dökük Türkçesi ile:

— Tebrizli Konya'da mıdır?

— Hangi Tebrizli, Konya'da yetmiş iki milletten, yetmiş iki beldeden insan var. O kadar çok Tebrizli var ki siz hangisini soruyorsunuz.

— Şeyh olanı. Siyah feracesinden başka mülkü olmayan Tebrizliyi.

— Ha! Güneş Tebrizliyi mi arıyorsunuz. O dergâhtadır.

— Güneşiniz batsın, batacak da.

— Siz sarhoş musunuz yabancılar.

— Biz değil; ama siz içmeden sarhoşsunuz.

— Bu sözün aynısını Şems'imiz de söylemişti.

— Biliyoruz.

— Bu hanın kaç odası var.

— Misafirler için dokuz oda, ailem için de bir oda var.

— Şimdi handa kaç müşterin var?

— Mevsim kış, boş odalar...

— Güzel, aileni de al götür, hanı boşalt. İki günlüğüne hanını kapatıyoruz. Ne kadar istiyorsan şu torbadan o kadar altın al, serbestsin, ancak iki gün hanına uğrama.

— Temizlik ve yemekleriniz ne olacak.

— Doğuştan temiziz. Yemeğimizi de kendimiz yaparız.

Hancı, olup bitene anlam veremedi. Elleri titreyerek torbadan bir avuç altın alarak arkasına bile bakmadan gitti...

Gökyüzü isli, hava da görülemeyecek kadar bulanık ve kapalı. Sabahın mahmurluğu ile sokaklarda çocuklardan başka kimse yok. Hanın dış kapısı sert sert birkaç kez vuruldu. Kapı açıldı. Gelen sütçü çocuktu.

— Hancı dede yok mu?

— İki günlüğüne yoklar.

— Ben sütleri ne yapacağım peki?

— Git dereye dök.

— Anlamadım.

— Sen süt satmakla yedi günde ne kadar kazanıyorsun?

— İki altın.

— Süt sende kalsa, sana üç altın versem bir emanet götürebilir misin dergâha?

— Hangi dergâha, Konya'da dolu dergâh var.

— Tebrizli Şems'in olduğu dergâha, tanır mısın onu.

— Şems'i kim tanımaz ki.

— Bekle o vakit.

Elinde kızıl bir beze sarılı emaneti getiren yabancı sütçüye sıkı sıkıya tembihleyerek

— Bu emaneti Şems'e vereceksin tamam mı? Ve bu emaneti ne aç ne de kimseye bugün olup biteni anlat.

— Tamam, üç altınımı alayım.

Çilesinden yüz çevirmedim,
cefasına boyun eğmedim senden gelenin ey aşk.
Dilimde ne cennet var ne mihnet, seyrimde ne vuslat var ne hasret.
Ben cennete yürümüyorum, cennet bana koşuyor.

Dergâhın bahçesi sisli ve soğuk havadan dolayı tenhaydı. Kuru bir ağacın yanında birkaç derviş sohbet ediyordu. Sütçü çocuk elinde süt kovası ile selam vererek yanlarına geldi. Dervişlerden birisi:

— Matbah (mutfak) karşıda.

— Ben matbaha gelmedim. Şems Efendimiz'i ziyaret edeceğim.

— Sen önce Ateşbaz Efendi'ye uğra, o söyler Şems'in yerini.

Ateşbaz, devasa kazanı büyük bir kepçe ile karıştırmaktadır. Bir sağa bir sola sallanırken Kur'an-ı Kerim'den âyetler okumaktadır. Sütçü matbaha girdiğinde Ateşbaz-ı Veli, parmağını dudağına götürerek sus işareti verir. Sütçü çocuk bekler, bekler... Tam yarım saate yakın ayakta bekler çocuk. Ateşbaz:

— Söyle şimdi nedir isteğin?

— Tebrizli Şems amcayı görecektim.

— Niçin, ne işin var Efendimle?

— Kendisine bir emanet getirdim.

— Sütten başka ne emanetin olur ki, üstelik efendim sütü hiç sevmez, Allah Allah!

— Şekerciler hanındaki dede bir soru sordu. Bunu en iyi Tebrizli bilir, git öğren dedi.

— Hah! Bak şimdi oldu, aradığın aşağıda kilerde. Karanlıktır, dikkat et, düşmeyesin.

Soğuk dar koridordan giren sütçü merdivenden aşağı iner, indikçe alnından akan ter yüzüne damlarken buz tutacak kadar soğuktur. Kilerin kapısını aralar. Karanlık, soğuk, buz kesen odada sepet içinde sebzeler, tavanda üzüm salkımları, saman üstünde kavun karpuz... Köşede dizüstü oturmuş rabıta halinde bir adam.

— Evlat ne işin var burada?

— Şey...

— Söyle ve çık hemen.

— Size bir emanet getirdim. Koynundan çıkardığı kızıl beze sarılı emaneti titreyerek uzatır.

— Tamam çıkabilirsin. Uzaklaş hemen buradan.

Şems bezi açar, içinden beyaz bir kâğıda sarılı bir taş çıkar. Herhangi bir taş değildir bu taş. Camı kesen, canın soluğunu kesen Afgan taşıdır. Rengi kahve, şekli üçgen olan bu taş, Haşhaşîlerin öldürecekleri kişiye mesaj olarak kullandıkları taştır. Kâğıdı alır eline, yukarı doğru çıkar. Ateşbaz-ı Veli'ye.

— Avucunun içiyle şu kâğıdın üzerini sıvazla, der.

Ateşbaz-ı Veli'nin sıvazladığı yerde Farsça bir kelime yazıyordur: Pârende. Kâğıdın üzerine çubuklu süt ile yedi kez yazılmış parende...

Ateşbaz olup biten karşısında şaşkındır. Şems elindeki taşı yanan ocağa attığında, küçük kahve taş, tandır ateşini söndürmüştür. Şems matbahdan çıkar. Bahçedeki dervişlerden birisini yanına çağırır. Kulağına bir şeyler fısıldar. Derviş alelacele dergâhtan çıkar.

Öğle ezanları okunmaya yakındır. Halk camiye doğru yürümekte... Acele yürüyen derviş, sağ eli sol göğsünde yoldan geçeni, dükkânın önünde oturanı "Hu. Hamuş Hu..." diye selamlayarak yürümektedir. Hana gelir. Kapı vurulur. Açılır kapı... Derviş kapıyı açanın kulağına yedi odada yedi soru hazırlayın, diye fısıldar. Beklediğiniz yarın sabah namazı sonrasında buraya buyuracak...

Çocukluğumdan bu yana karşılaştığım her dervişe, müride selamdan sonra bir soru yöneltirdim. Bazen teke tek muhabbetlerde, bazen sohbet meclislerinde. Sorumu dinleyenler bu soru deli sorusudur, diye düşünürdü. Oysa veli sorularıydı sorduklarım. Cevabı da veli olan verebilirdi. Halk veli ile deli arasındaki farkı bilmiyorsa ben ne yapayım?

Günü geldi, sorularım bana döndü. Sınavlarım bumerang misali bana çevrildi. Hakkından geldim soruların ve sınavların. Tek bir sınavım kalmıştı. Başımın gövdemden koparılması. Vakti gelince aşkın kefaretine baş verecektim, aşk ile.

Yedi ayrı soru sorulmasını istedim. Her bir hücrede bir derviş olsun. Her biri sorusunu sorsun. Yedi kapılı sorular, yedi başlı ejderhaydı. Hangi derviş cevabımı beğenmezse o alsın canımı. Talebimi alan dervişler aralarında sorular hususunda epey tartışmışlar ve kendilerince en can alıcı soruları hazırlamış, beni beklemişler.

Birinci kapı. Girdim içeriye. Derviş sordu:

— Beyazid Bestami altmış sene kavun yemedi. Sordular: Niçin yemiyorsun? "Mustafa Muhammed'in o kavunu nasıl kestiğini bilmediğimden yemiyorum" dedi. Sen bu cevabı nasıl buldun?

Dedim ki: Bir kavunun nasıl kesildiğini bilmeyen Bistami, bundan daha çetin ve gizli ilimlerden nasıl bilgi sahibi olur, nasıl haber verebilir?

Derviş ayağıma kapandı. Dışarı çıktı. Avludaki havuza elbiseleriyle atladı.

İkinci kapı:

— İblis kimdir?

Dedim ki: Sensin, çünkü biz bu saatte İdris'te gark olmuşuz. Eğer sen İblis değilsen niçin İdris'te gark olmadın? Eğer sende İdris'ten bir eser varsa İblis'ten niye korkarsın... Derviş bağırarak, saçını başını yolarak avluya kaçtı.

Üçüncü kapı:

— Mezhebin nedir? Aslına niçin karşı geldin?

Dedim ki: Âşıkların mezhebi olmaz, meşrebi de. Fıkıhçılar neyin imamıdır ben karışmam. Ben aşkın İmamı Mevlânâ'dan başkasını tanımam, biat etmem. Aslım aşka kurban olmaktır. Esas dönekler sizsiniz. Derviş duvardaki Kur'an'ı alıp öperek odayı terk etti.

Dördüncü oda:

— Tevhit nedir?

Dedim ki: Şeyhe böyle bir soru sormak bidattır, gaflettir. Kim kendi vücudunu cefa ile bilirse Allah'ını vefa ile, kim kendi vücudunu hata ile bilirse, Allah'ını ihsan ile bilir. Derviş oracığa düşüp bayıldı.

Beşinci oda:

— Sema haram değil mi?

Sema Allah'ın tecellisidir. Bu âlemden makam âlemine yolculuktur. Ehline helâl, la ehle haramdır. Sen, semayı yapmak bir yana, diline bile alma, ehilsiz. Derviş benzi solgun ağlayarak odayı terk etti.

Altıncı oda:

— İnsan bu âlemde Rablık iddiasında bulunan yegâne varlıktır. Ama kulluk iddiasında bulunan yegâne varlık da insandır. Bu ikisinin arasındaki fark nedir?

Dedim ki: "Allah, yalnız insanı cemalim ve celâlimle yarattım" diyor. Bazı insanda yalnız celâli zuhur ediyor, 'Ben Allah'ım' diyor; Firavun gibi. Bazı insanda cemali zuhur ediyor, 'Ben kulum' diyor; Hz. Peygamber gibi, 'Seni layıkıyla bilemedim Allah'ım' diyor. İşte celâli ve cemali, ikisinin de zuhur ettiği yer olduğu için insan çok önemlidir. Allah celâl ve cemalini bütünleyip cemaliyle celâlini örten, kendine benzeyen kullar istiyor ve buna kemal sahibi diyor. Rahmetiyle gazabını örtmüş, kemal sahibi, güzel, iyi huylu kullar istiyor.

Derviş kılıcını kınından sıyırdı. Bana doğru gelmeye başladı. Elleri titriyordu. Kılıcı ile sakalımı sıvazladı. Gözlerine bakmamı söyledi. Baktığımda sarsıla sarsıla ağlamaya başladı. Allahhhhhhhhh diye bağırarak kılıcı duvara çarptı ve oraya baygın düştü. Kılıcın duvardaki şakırtısı önce odada sonra bütün handa yankılandı. Dervişler hep birden odanın kapısına gelip içeri baktılar, yerde baygın yatan arkadaşlarının halini görünce derin bir oh çektiler.

Ve son kapı, son soru... Yedinci kapıdan içeriye girdiğimde diğer dervişlerden cüssece iri, kaşları kalın, katran gözlü derviş, köşeye bağdaş kurmuş, elindeki kama ile dişini karıştırıyordu:

— Gel bakalım Tebrizli. Arkadaşlarımı cevaplarınla darmadağın ettiğine göre yaman adammışsın belli. Bizim nereden geldiğimizi biliyorsun, neden geldiğimizi de biliyorsun. Deden gibi neden teşkilâta hizmet etmek varken burada miskince yaşıyorsun?

— Sizin gibi çapulcu olmaktansa Konya sokağında çamur olmayı yeğlerim.

— Çamur olurum Konya'ya diyorsun ama Konya'nın ayakları seni hiç sevmiyor. Seni öldürmek için civar şehirlerden kiralık katil aradıklarını duyduk. Elimizi çabuk tutmuşuz ki tez geldik onlara fırsat vermeden.

— Onlar kuru gürültüden başka bir şey bilmezler. Şimdi merak ediyorum Konya'dan ayrılıp Tebriz'e döndüğünde şeyhimize yaptığın densizliği hatırlıyor musun?

— Siz İblis'in tohumuna şeyh mi diyorsunuz?

— Peki, Tebriz'den Şam'a niye kaçtın?

— Kaçmadım, sevgilinin kokusuna koştum.

— Şam'dan buraya neden geri geldin o hâlde?

— Hamuş'umu dillendirmek için.

— Mevlâna'mı?

— Aşığa aşkı mı soruyorsun?

— Aşkın için kefaretin ne pekâlâ?

— Başım.

— Şimdi vermeye hazır mısın?

— Elbette, amenna.

— O zaman avluya çıkalım.

— Bir arzum olacak.

— Nedir? Bağışlanman mı? Dilersen tek şartla başını bağışlarız. Mevlâna ile sen fark etmez.

— Asla... Değil, onun başına bir bela gelmesi, bir toz zerresinin saçını kirletmesine gönlüm razı gelmez. Ona ve ailesine bulaşmadan işinizi benimle halledip defolup gidin Tebriz'e.

— O hâlde isteğin ne?

— Hamuş'umla vedalaşmaya müsaade istiyorum.

— Kaçacaksın değil mi?

— Kaçacakmış gibi mi görünüyorum. Âşıklar ölüme koşar. Ölümden korkan fırsat varken önceden de kaçmaz mıydı?

— Tamam. Gece aşkın infazını bekliyoruz.

Âşık odur ki, Allah'tan aldığı aşk emanetini Allah'a verir.
Aşk mezhebinde her şey Yüce Aşk'a kurbandır.

Akşam ezanları diğer akşamlara nispetle bir başka makamdan okunuyordu Konya'da. Havanın soğukluğundan değil ecelin ayak seslerinden ürken kuşlar yoktu bu akşam şadırvanlarda. Şehir, cinayetin haberini önceden almışcasına ketumdu. Moğol istilası öncesi bile, bu denli kasvetli karamsarlık çökmemişti sokaklara. Dumanlar bambaşka tütüyordu bacalardan. Asuman yıldızsızdı, Süreyya yıldızı dahi güneşin matemine hazırlıyorlardı kendilerini. Medresede dervişlerin hepsinde de bir burukluk vardı, sebebine kendilerinin bile anlam veremedikleri... Her derviş sus pus olmuştu, sanki hepsi bir yerden aynı haberi duymuş da dilleri lâl oluvermişti oracıkta. Havada ölüm kokusu... gök hırçın... toprak bıçkın... rüzgâr hoyrat... İlikleri donduran soğuk havayı boğan bir gizemli güç var sanki. Takvimler Aralık 5'i gösteriyordu.

O günün sabahında içinde bir daralma ile akşamı zor eden Mevlâna, akşam namazı için Şems'i beklemişti. Cemaatle kılmadı namazını. Bekledi Maşukunu, Hamuş'u. Bilemezdi dostunun aşk uğruna bu gece delik deşik bir post olacağını. Dervişler dün sabah sütçünün geldiğini, bir dervişin Şems tarafından çarşıya gönderildiğini Mevlâna'ya söylemişlerdi. Bütün bu olup bitenler Şems için alışılagelmiş şeylerden değildi. Endişesi artmıştı. Ne oluyordu? Yoksa... Yoksa Şems Konya'dan tekrar çekip gitmiş miydi bir daha dönmemek üzere? Merakta kaldı. Dergâhın dış kapısına çıktı. Sırtında ince bir gömlek... Üşüyordu. Titriyordu dudakları... Dervişler durumu Sultan Veled'e bildirdiler. Koşarak babasının yanına geldi. Yanında getirdiği şilteyi babasının sırtına örttü. O da korkuyordu Şems'in Konya'yı terk etmesinden. Korkusunu seslendiremedi babası paniğe kapılmasın diye. Şems günler önce demişti:

-"Yıprandım... Bir gün alıp başımı öyle bir kaybolacağım ki mahşerin habercileri arasa bulamayacak beni" diye.

Sislerin arasından bir gölge gibi sureti gözüktü Şems'in uzaktan. Geliyordu gelmesine de bitkin bir hali vardı. Sanki günlerdir uzak yollardan durmadan yürüyerek gelmişçesine. Sarıldı Mevlâna'ya. Mevlâna titriyordu sarılmanın sarsılışı ile. Mevlâna, bir şeyler söyleyecekti ki parmağını sus manasında dudağına götürdü Şems. Namaz kılmak üzere Mevlâna ile kol kola odaya geçtiler. Mevlâna Şems'i her zamanki gibi imamet için kolundan öne doğru çekerken, Şems elini tutarak:

— Aşkın imamı namazımızın da imamıdır dedi. Mevlâna imam, Şems ve Sultan Veled, cemaat namaza başladılar. Bu namaz çok anlamlıydı Şems için. Mevlâna ile birlikte kıldıkları son namazdı. Namaz, Hz. Muhammed için "Gözünün nuru idi". Şems içinden şöyle diyordu: "Gözün nuru namazı, gönlümün nuru Mevlâna ile kılmak ne güzel." Namaz sonrası Mevlâna:

— Açsındır, Ateşbaz da yok. Kendi elimle sana aş hazırlasam. İrmik helvası da yapalım afiyetle ye! Çok düşkün halin var, kendine gelirsin. Benzin neden sarardı dost?

— Üşümüşümdür, tasa etme kanımız damarını bulur. Helvamızı yersin bir gece vakti kim bilir. Hamuş'um seninle baş başa kalmak istiyorum, evladımız müsade buyurur mu? Sultan Veled destur alıp odadan çıktı. Şems Hamuşunun dizine dayadı başını. Öylece yarım saate yakın durdular. Şems daha sonra Mevlâna'ya olup bitenleri anlattı. Ağlamaya başladı dost. Susturmaya çalıştı dost.

— Şam'da Rabbime yalvarmış, aşkımı seyredeceğim bir ayna istemiştim. Rabbim seni verdi, sende seyrettim.

— Gitme...

— Telaşlanma, verdiğimiz sözü tutma vakti gelmiştir.

— Ne sözü?

— Seni kısmet etmesi için dualar okumuştum Rabbime, "Rabbim de bana demişti ki, o aynayı verirsem ne bağışlarsın? Tereddütsüz şöyle demiştim; başımı veririm!" Aşk için başımı adamıştım. İşte o söz.

Mevlâna ağlıyordu, bayılmak üzereydi, elleri, dudakları her yeri titriyordu.

— Ağlama, sus dost! Sesin dışarı çıkmasın. Telaşlandırma dergâhtakileri. Anla, gitmekten başka yol mu var?

— Sen Hz. Osman'ın şahadetini hatırlar mısın? Bir de benden duy Mevlâna'm.

Hani biliyorsun, asiler Medine'ye baskına geldiler. Allah için kutsal şehirde kan dökeceklerdi. Sözde cihad yapıyorlardı serseriler. Üç ayrı grup halinde üç İslam şehrinden geldiler. Niyetleri belliydi: Hz. Osman'ı şehit etmek. Medine halkı seyirci kaldı. Bir tek Hz. Ali ve çocukları Hz. Osman'ı koruyorlardı. Ali, Hz. Osman'ın yanına geldi bir akşam üzeri.

— Ey Osman... İzin ver şu çapulcuları def edeyim buradan.

— Olmaz Ali, yarın arkamdan Osman Peygamber şehrinde kan döktürdü demelerini istemiyorum.

— Ama onlar senin kanını dökecek. Bunu bile bile niye onları tepelememe izin vermiyorsun?

— Ali otur da beni dinle. Akşam namazını kıldıktan sonra duvara yaslanarak oturdum. İçim geçmiş. Rüya gördüm. Rüyamda bu odada bir sofra kurulmuş. Sofrada Hz. Peygamberimiz oturuyor. Sağında Hz. Ebubekir, solunda Hz. Ömer oturmakta. Sofrada sadece bir tas çorba var. Öylece bekliyorlar. Sanki birisi gelecek de öyle başlayacaklar içmeye. Derken ben giriyorum içeriye. Hz. Peygamber tebessüm ederek:

— Ey Osman, nerede kaldın seni bekliyorduk, dedi: Uyandım. Anladım ki şehit olacağım. Şimdi Ali söyle sevenleri bekletmek doğru mu?

İşte... Hz. Osman aşkın kefareti için bile bile şahadete yürüdü. Şimdi sıra bende Mevlâna'm. Şimdi ey Hamuş'um... Her aşkın bir kefareti var. Osman isterse başını kurtarırdı; ama ya ruhu? İcazet ver. Kabullen. Sevgili Muhammed'im. Bu seninle son ziyafetimiz. Şu içtiğim son bardak su. Diyeceksin ki sofrada tatlı eksik. Helvamı yine yiyeceksin, şimdi ayrılığın acısı ile helva ağzını tatlandırmaz...

Mevlâna dostunun dışarı çıkmasını istememişti. Çünkü son belliydi aslında. Bu biliniyordu ve önceden yazılmıştı yaşanılacak olan. Mevlâna güneşine "gitme" demişti sessizce. Boğazında düğüm düğüm oldu soluğu. Mevlâna sesini biraz daha yükseltti:

— Gel gitme. Gel eyleme. Şems:

— Bırak beni, uyuyamıyorum; çünkü ruhum aşkla sarhoş ve cesedim üzerine yasemin ve gül yaprakları serp ve ölüm eliyle alnıma ne yazdıysa, onu oku bana.

Ney ve kudümün sesiyle solmakta olan yüreğimin etrafına bir örtü ört.

Mevlâna ağlamaya başlar. Şems:

— Gözyaşlarını sil, beni kalabalık mezarlığa götürmeyin ki uykum, takırdamakta olan iskelet ve kafatası sesleriyle dağılmasın. Cesedimi dergâhına taşı ki, şafak vaktinde gölgeler ge-

SİNAN YAĞMUR

lip yanı başımda otursun. Derince gömün ve üstümü yumuşak toprakla örtün, gül ve leylaklar serpiştirin... Onlar havaya yüreğimin güzel kokularını salacaklardır; iç huzurumun sırrını açığa vuracaklardır, hatta güneşe kadar bile. Beni Allah'a bırakın ve yavaşça çekip gidin buradan, beni huzura terk edin.

Mevlâna dondu... Zaman dondu... Mekân dondu. Şems gözleri tebessümle: "Elveda yoktur âşıkların makamında biz hiç ayrılmadık ki..." diyerek kayboldu karanlığın perdelerini sererek.

Her şey zamanında güzel ve zamanında anlamlı.
O anı kaçırdıktan sonra tekrar o anı yaşamanın bir anlamı yok ki.
Şimdi git...
Âşıklık töresini, âşıklık geleneğini, maşuk gidişatını bozma.

Şems yatsı ezanının okunmasını beklemeden dergâhtan ayrıldı. Yağmur çiseliyordu. Dar sokaklardan, taş yollardan şekerciler hanına doğru yürüyordu. Medrese ile han arasında bir bahçe vardı etrafı metruk evlerle çevrili. Oraya gelince durdu. Bir ses duydu. Köpek yavrusunun sesiydi. Sesin geldiği yöne yürüdü. Yıkık bir duvarın altında kalmış ana köpeği gördü. Kerpiçleri kaldırdı. Köpeğin üzerindeki toprak parçalarını temizledi. Okşadı köpeği. Yavruyu kokladı. Açtı yavru köpek. Hemen sokağa daldı. İlk kapıyı çaldı. Kapıyı ihtiyar bir kadın açtı. Ekmek ve varsa süt istedi. Kadın dilenci sandı Şems'i. Bir koşuda getirdi ekmeği ve sütü. Şems köpeği ve yavrusunu bahçede güvenli bir yere yerleştirip doyurduktan sonra, hana geç kaldım, diyerek adımlarını hızlandırarak yürümeye başladı. Tam o esnada bahçede ağzı açık bir büyük kuyu gözüne çarptı. Hz. Yusuf'u hatırladı. İçinden "Ahhh! Yusuf Efendim kuyuya sığdı da şimdiki insanlar dünyaya sığmıyor, diye düşündü. Ardından mırıldanarak:" Ya Rabbim şu kuyuyu kabrim kıl."

Hana yaklaşmıştı. Hana geldiğinde yağmur hızını arttırmıştı Kapıyı vurdu. Kapının açılmasını beklerken şöyle dua ediyordu:

"Ey ölüm, beni beyaz kanatlarına sar çünkü dostlarım

bana gerek duymuyorlar. Ey ölüm, kucakla beni, sevgi ve merhamet dolu; hiçbir zaman ana öpücüğünü tatmamış, bir kız kardeş yanağına değmemiş, bir sevgilinin parmak uçlarını öpmemiş olan şu dudaklarıma dudakların değsin, bırak... Gel al beni, ey sevgili ölüm."

Hanın kapısı yavaşça aralandı. Şems'in üstü başı sırılsıklamdı. Şems selam vererek avluya girdi. Avlunun ortasındaki küçük havuza yaklaştı.

Hanın bir odasının kandili yanıyordu. Işık kapatıldı. Karanlıkta parlayan yedi bıçaktan başka bir şey yoktu. Zifiri karanlıkta, bıçaklar boşlukta çakan şimşekler gibi gözü alıyor, kamaştırıyordu.

Altı derviş daire şeklinde aralıklı durdular. Yedinci derviş:

— Şeyhimizin seninle ilgili merak ettiği bir şey var. Cevaplar mısın?

— Sorun.

— Moğol komutanı zehirleme fırsatın varken neden sağ bıraktın? Atalarına ihanet ettiğinin farkında değil misin?

— Ben oldum olası iğrenç siyasetlerden tiksindim. Ne dün ne de bugün ben hiçbir zaman şeytanın suyu ile yıkanmadım, yıkanmam.

Hz. Osman'ın başını alan da bu şeytan çocukları değil miydi? Hüseyin'i Kerbela'da biçen fırtına da iblisin soluğu değil miydi? Bana ne Moğollardan, Allah belayı hak edene, velayeti seçtiğine verir. Siz sözde mücahitlik yapıyorsunuz. Yazıklar olsun size. Kanım aşka helâl, size haram olsun. Hasan Sabbah'ın çocukları, ne farkınız var Yezid'in sırtlanlarından. Üzerinizdeki abadan, elinizdeki asadan utanın. Utanın aşktan, utanın!

— Son arzun var mı?

— İki satır yazı yazayım. Yarın burayı terk ederken emaneti dergâha gönderir misiniz? Bir de yatsı namazını kılmadım. Hz. Ali Efendimiz gibi namaz kılarken canımı teslim etmek istiyorum...

Şems havuzdan abdestini tazeler. Siyah feracesi ıslaktır. Islak taşlara serer seccade olarak. Sünneti kılmıştır, farza başlar. Tekbir alır. Kıraati sesli olarak okur. Birinci rekâtta Fatiha'dan sonra Şems Sûresi'ni okur. Dervişlerden birisi ağlamaya başlar. Bakarlar ki bu iş uzadıkça dervişler yumuşayacak. Başderviş bıçağı Şems'in sırtına saplar, çıkarır. Ayaktadır Şems, yıkılmamıştır. İkinci bıçak... Üçüncü bıçak... Dördüncü bıçak... Hâlâ ayakta Şems, Şems Sûresi'ni okumaya devam etmektedir. Beşinci bıçak... Altıncı bıçak... Şems taş zemine düşer. Kalkmaya çalışır. Doğrulur. Yan tarafa tekrar düşer. Toparlanırken hâlâ Şems Sûresi'ni tekrar tekrar okumaktadır. Diz üstü çöker.

Yedinci ve en tesirli bıçak darbesi ensesine gelir boynu sağa doğru bükülmüştür. Dervişler yere kapanmasını bekleyedursun. Şems Hz. Peygamber'in şu hadisini mırıldanır, sesi boğuk: *"Allah'a kavuşmak isteyeni Allah da sever."*

Dervişlerden birisi sırtına tekmeyi vurur. Yüzüstü taş zemine kapanır, dudağı patlamış, dişleri zemine dökülmüştür. Siyah feracesi kanlar içinde bordoya dönmüştür. Saçlarından tutarak kafasını kaldıran dervişin niyeti Şems'in başını gövdesinden ayırmaktır.

Baş derviş engeller. Bırakın son nefesini versin. Sonra da en yakın bir kuyuya atın. Kıyafetine sarıp atın. Avluyu yıkayın. Sabah yola çıkarız.

Şems hâlâ son nefesini vermemiştir. Sille taşının üzerindeki başını hafifçe göğe kaldırır ve:

"Allah ne güzel sevgilidir. Rabbim sana aşığım, ve bu canı sana hediye ediyorum."

Ey aşk! Sen öyle bir kişisin ki,
dünya tokları, senin vuslatının açlarıdır.

Mevlâna ağlamaklı kısık sesi ile Sultan Veled'in kulağına bir şeyler fısıldadı. Sultan Veled'in yanakları kızardı. Gözleri faltaşı gibi açıldı. Elini babasının omzuna koydu. Titriyordu Mevlâna. Sarsılıyordu titreme krizine tutulmuşçasına. Baba oğul sarılarak ağlaştılar bir müddet...

Kapı vuruldu...

Bir daha vuruldu...

Üçüncü vuruluşta;

— Destur! dedi Mevlâna.

İçeri Bilal derviş, buyur var mı diyerek girdi. Elleri ile gözlerini kapayan Mevlâna'dan Bilal'im buyur sesi çıktı titrekçe.

Sultan Veled ayağa kalktı, yanında iki derviş babasının söylediği kuyuya vardılar. Yolda Kur'an'dan âyetler okuyarak yürümüşlerdi. Durdular. Fatiha okuyup yüzlerine sürdüler ellerini. Sağ elini uzattı Sultan Veled:

— Bilal ve Hamza! Biat edin.

Şaşırdı iki derviş. Ne biati. Gece karanlığında neye biat. Ne yemini.

— Elinizi elimin üzerine koyun ve kelleniz gitse dahi sırrımızı vermemeye yemin edin.

Şaşkın dervişler... Ne oluyor? Ne kellesi, ne yemini şimdi bu, sır ne? Ellerini Sultan Veled'in eli üzerine koyarak "Allah'ın Esma-i Hüsnası üzerine biat ederiz. Kelamullah'ın her bir harfi üzerine kasem ederiz. Ne söylersen söyle amenna. Sadakatimiz bakidir."

Sultan Veled bir urgan(halat) sarkıttı kuyudan aşağı. Dervişlerden Bilal'e

— İn ve Pirimiz'i sırtına yüklen de çıkar.

Gece sisli. Soğuk Konya. Etraf ıssız. Yaprak hışırtılarını kapatıyordu köpek havlamaları. Kuyudaki cesedin kokusunu önceden almışlardı köpekler; ama Mevlâna'nın Şems'ine kıyan vicdansız insanlar kadar zalim değiliz diye, cesede ziyan gelmemesi için nöbet tutmuşlardı. Gelenlerin Mevlâna evladı ve dervişleri olduğunu kokularından anlayıp oradan usulca uzaklaşmışlardı.

Yıllarca dergâhta aşçılık ve dervişleri çilehanede eğitmekle görevli Ateşbaz, yaşlanmış ve yorulmuştu. Mevlâna babasının emaneti Ateşbaz'ın daha fazla yorulmasına gönlü razı olmamıştı. Meram'daki bağ evine yerleşmesini söyledi ve ona:

— Ey ateşle oynayan dostum... Hakkın, emeğin o kadar çok ki, bana hediye edilen bağ evini sana bağışlıyorum. Bundan sonra orada dinlen.

— Ama efendim ben sizden ayrılamam. Sizin soluğunuz, kokunuz olmazsa nasıl yaşarım?

— Biliyorum. Artık çorbanı, tiridini özlemeyeceğimi mi sanıyorsun. Ben Meram'ı severim. Baharda ve yazın senin yanına gelirim. Hem gönlümüze hem midemize ziyafet çekeriz.

Ateşbaz'ın gönlü alınmış ve Meram bağ evine salınmıştı. Artık bir göz odası olan evde sessiz sakin bir ortamda, bülbül sesleri ile dinleniyor, Mevlâna'nın çok sevdiği gülleri yetiştiriyordu.

Bir atlı gecenin karanlığını yararak dergâhtan Meram bağlarına doğru yol alıyordu. At terli, binici soluk soluğa, kavak ağaçları ile ıssız bağ evine geldiler. Bir göz oda. Odada yanan bir köz ışıklık ateş. Kapı vuruldu. Açıldı tahta kapı, gıcırtılarla. Açan geleni tanıdı. Gelen açanı Hu... Hu ile selamladı. Önce sağa eğildi başlar, sonra öne düştü... Gelen avucundaki bezi uzattı. Aldı kokladı ev sahibi.

— Efendimiz helva pişirmeni istedi, fakat her zamanki gibi undan değil. Topraktan pişirmeni istiyor ve ocakta helva pişene kadar Tekasür Sûresi'ni okusun, üflesin dedi.

— Eyvallah... Eyvallah... Kendileri gelene kadar emaneti hazır olur. Ya sen, şimdi dönüyor musun?

— Hayır, bir kabir hazırlayacağım.

— Amenna... Amenna...

Helva pişedursun, Mevlâna geledursun, vakit gecenin koynunda hırçın çocukça dönedursun... Sultan Veled ve iki derviş sırtlarında nöbetleşe taşıdıkları naşı bahçeye getiriyorlardı. Soluk almak için bağ evine yaklaşmışlardı ki ney sesi ile durdular.

Mevlâna yapayalnız tek başına gelmişti. Daha önce Şems'in çok isteyip de gelmesi kısmet olmayan bağın başında bağdaş kurmuş ney üflüyordu.

İlk kez babasını ney üflerken görüyordu Sultan Veled ve ilk kez duyuyordu bu nameleri.

"Ey aşkın efendisi ayrıldın sanma
Sen bendeki ateşi söndürdün sanma "

Sultan Veled ve dervişler kanlı kıyafeti ile çuval gibi sarılmış naşı büyük bir taşın üzerine usulca koyarlar. "Şems'in bu haline hangi yürek dayanır, hangi göz bakar eyvah eyvah" diyerek dizlerine vura vura gelen Mevlâna tam naşın yanına yaklaştığında sendeler, dervişler ve oğlu tutarlar yere düşmesini engellerler. Ağlar... Ağlar... Öyle ağlamaktadır ki asumandan gök gürültüleri Mevlâna'nın matemine eşlik etmektedir.

Babasının halini pek beğenmeyen içi burkulan ağlamaklı Sultan Veled:

— Babacığım su kaynasın mı?

— Şehitler yıkanmadan kefenlenmeden gömülür. İzin verin son kez dostu biraz daha koklayayım, der ve kanlar içinde sarılı Şems'in başını okşar, sakalını koklar, yüzündeki kanları parmakları ile temizler, koklar, öper. Ağlaması şiddetini artırmıştır.

— Sana hangi kırılası el vurdu bu hançerleri Şems'im.Hangi vicdansız kanlara boyadı nazende bedenini.Arştaki melekler bile utanır arzdaki bu ayıptan. Ey Pârende'm kanlı uçmak da mı vardı yazgında? Şems'im.. Şems'im beni bırakıp da nereye gittin.Ahhh gecenin damarını çatlatsam da seni alsam yeniden kucağıma. Dayasam başımı dizine.diye ağıtlar yakıyordu.Sultan Veled babasının başını omzuna almış teselli ederken dervişe sela okuması için işaret etti.

Derviş salâ okur. Dost ayağa kalkar. Tekbir alır. Gece cenaze namazı kılınmaya başlanır. İslam tarihinde cenazesi gece kılınıp defnedilmesi Hz. Osman'dan sonra Şems'e nasip olmuştur. Namaz sonrası Mevlâna dostunun naşını kucaklar, kabre indirir.

İlk toprağı zar zor atmıştır. Kabrin başına çöker. Kur'an okumaya başlar. Sultan Veled, Ateşbaz ve diğer dervişler toprak atmaktadır.

"Gökyüzü şu ayrılığı duyup anlasaydı
Yıldızları ağlardı, güneşi ve ayı da.
Padişah bilseydi ne çeşit tahttan indirileceğini
Kendi de ağlardı, tahtı ile tacı da.
Uçan kuş, bilmiş olsaydı niye avlandığını
Kırılır kolu kanadı, başlardı ağlamaya.
Sağırdır kulağı ecelin, işitmez feryatları
Yoksa dayanır mıydı hiç kanlı yürek sağanağına
Öz çocuğunu yiyen bir dev anadır dünya."

Dostlar emanetimiz ortalık yatışana kadar burada misafirdir, sonra hanemize getirirsiniz. Şems'in makamı dergâhımızdır. Sultan Veled'im! Sırrımızı kimse ifşa etmesin ve vasiyetimdir... Beni dergâhımızda dostun yanı başına defnedeceksiniz.

"Sustum. Tuz basıp yaralarıma, ne kadar susulacaksa o kadar sustum! Bir çığlık kanıyor en derininde yüreğimin. Açmadım kimselere yüreğimi...! Hançeri sadece kendime sapladım ve sustum..."

Ertesi sabah, kuru ayazın ilikleri dondurduğu bir gün başlamıştır. Konya ıssız bir şehir havasındadır. Gecesi ölüm kokan şehrin gündüzü kıyamet sessizliğindedir. Dergâhın kapısı çalınır. Yaşlı bir adam destur ister. Mevlâna'nın huzuruna çıkmaktır muradı. Mevlâna dergâhın en köşedeki küçük hücrede diz üstü çökmüş ölü sessizliğinde öylece oturmaktadır. Kapının önünde babasından endişelenen Sultan Veled ve Kira Hatun âdeta nöbet tutmaktadır. Derviş Sultan Veled'e gelen ihtiyarın Mevlâna'ya kıymetli bir emanet getirdiğini söyler. Sultan Veled üzerinin aranmasını tembihler. Aranır. Herhangi bir şey çıkmaz. Elinde sımsıkı tuttuğu zümrüt yeşili mendil dışında. Sultan Veled bu mendili bir yerden tanıdığını ama nereden tanıdığını çıkarmaya çalışırken içeriden Mevlâna kapının önüne bağırarak çıkar:

— Kokusu geldi, o geldi. Şems ölmemiş bakın... Dergâhımız kokusu ile tütüyor der. İhtiyar adamın elindeki mendili can havli ile kapar koklar.

— Bu Şems'in mendili. Söyle nerdedir o? Yerini söyle, sana canımı, her şeyimi feda edeyim kutlu haberine.

— Baba kendine gel Allah aşkına. Elindeki sadece bir bez parçası. Kulağına fısıldar: Gece defnettik ya Şems'i.

Mendili getiren ihtiyar:

— Efendim bunu size getirmemi daha önce görmediğim yabancılar verdi.

Mevlânâ içeri girer, mendili koklar, eli titreyerek açar. İçinden sarı kâğıda yazılmış bir not çıkar:

"Başımı kesip kör kuyuya atsalar... Şah damarımdan oluk oluk kanı akıtsalar... Dokuz yurda tenimi lime lime dağıtsalar... Yedi çakal sürüsü vücuduma saldırsalar... Kırmazdı acılar beni, yorardı belki teni. Özümsün, özümle ararım Mevlânâ'm seni. Yemin ederim ki ölümümün gözlerinin önünde olmasını isterdim. Gör ki aşk için ölmek ne demekmiş."

Mevlânâ olduğu yere düşüp bayılmıştır.

KAYNAKÇA

1. Anbarcıoğlu, M.Ülker; Sultan Veled, Maarif.

2. Aşkın Halleri, Sufi Kitap.

3. Banks Coleman, Mevlâna. Doğan Kitap.

4. Baytur, M. Bahari; Divan-ı Kebir.

5. Bekiroğlu, Nazan; Cümle Kapısı, Timaş Yayınları.

6. Can, Şefik; Mesnevi, Kültür Bakanlığı Yayınları.

7. Çetinkaya, Bayram Ali; Şems-Mevlâna Dostluğu, İnsan Yayınları.

8. Eflaki, Ahmed; Ariflerin Menkibeleri, Kabalcı Yayınları.

9. Gençosman, M.Nuri; Şems-i Tebrizi, Makalat, Ataç Yayınları.

10. Gölpınarlı, Abdulbaki; Mevlâna Celaleddin.

11. Kabaklı, Ahmet; Mevlâna, T.E.V. Yayınları.

12. Rıfai, Kenan; Mesnevi Şerif, Kubbealtı Yayınları.

13. Schimmel, Annemarie; İslam'ın Mistik Boyutları, Kabalcı Yayınları.

14. Schimmel, Annemarie; Tanrının Yeryüzündeki İşaretleri, Kabalcı Yayınları.

15. Şah, İdris; Sufinin Yolu, Doğan Kitap.

16. Türkmen, Erhan; Şems-i Tebrizi'nin Öğretileri.

17. Ürkmez, Melahat; Şems Tebrizi.

18. Yağmur, Sinan; Tennure ve Ateş, Esra Yayınları.

19. Yeniterzi, Emine; Tasavvufun Kitabı.

20. Watts, Nigel; Sevginin Yolu, Samsara Yayınları.

Tennure ve Ateş
Hz. Mevlana

Sinan Yağmur

- Mevlâna ile Nasrettin Hoca birbirleriyle düşman mıydı?
- Mevlâna küçük oğlu Alaaddin'i öldürttü mü?
- Cenaze namazına katılmadı mı?
- Dilek havuzuna para atmak caiz mi?
- Ahi Evren Veliyi Mevlâna mı zehirletti?
- Mevlâna mürşid midir, veli midir?
- Mevlâna neden ikinci kez evlendi?
- Mevlâna neden depresyona girdi?
- Mevlâna Yunus Emre'yi yanından kovdu mu? Mesnevi'de kadınlara hakaret etti mi?
- Mevlâna'ya göre müzik caiz midir? Mevlâna sarhoştan niçin özür diledi?
- Şems öldü mü? Öldürüldü mü? Şems'i Mevlâna'nın oğlu mu öldürdü?
- Mevlâna'nın iktidarla ilişkisi nasıldı? İktidardan rüşvet aldı mı?
- Mevlâna ne ile geçinirdi? Niçin geçim sıkıntısı çekerdi?
- Müritlerin halktan yardım ve bahşiş almasına niçin tepki gösterdi?
- Mevlâna eserinde niçin müstehcen hikayelere yer verdi? Cinsellik anlayışı nedir?

- Mevlâna Alevî miydi? Mevlâna mezhepsiz miydi?

- Fahişe bir kadını neden müritliğe kabul etti? Gençliğe hitabesi nelerdir?

- Ana dili Türkçe fakat eserleri neden Farsça yazdı?

- Sultanlık teklifini neden reddetti? Kaç yıl memurluk yaptı?

- Nasrettin Hoca ile hiç karşılaştı mı? Mevlâna hiç keramet gösterdi mi?

- Hacı Bektaşi Veli ile araları açık mıydı? Birbirlerini niçin ziyaret etmediler?

- Mevlâna'nın defni sırasında babasının ayağa kalktığı gerçek mi, uydurma mı?

- Bir papazın önünde dakikalarca eğildiği doğru mu?

- Mevlâna bir filozof mudur? Mevlâna reenkarnasyon için ne demiştir?

- Mesnevisinde tevhide aykırılıklar var mıdır? Mevlâna hangi tarikattandır?

- Mevlâna gelenekçi midir? Mevlâna neden Konya aşığıdır?

Tennure ve Ateş, bu ve benzeri pek çok soruya cevaplar vermesinin yanında Mevlâna hakkında yapılmış özgün bir araştırma özelliğiyle de bir başucu eseridir.

Karatay Akademi Yayınları'ndan çıkan bu eseri bütün kitapçılardan ve internet kitap sitelerinden temin edebilirsiniz.

AŞKIN GÖZYAŞLARI
İKİNCİ SERİSİ
HZ. MEVLÂNA

Mevlana olduğu yere düşüp bayılmıştır.

Geceye doğru "Şems...Şems.." diye sayıklayarak uyanır. Başında sadece oğlu Sultan Veled vardır. Babasının elinden tutarak ağlamaktadır. Mevlana ceviz işlemeli sandığın açılmasını ister. Sultan Veled sandığı açtığında kana boyanmış Feraceyi görür... Bu Feraceyi kim koydu buraya diye şaşkınlık içerisindedir. Mevlana Feraceyi yüzüne sürerek koklar, ağlar, ağlar." Beni yanına al Şems. Sensizliğe takatim kalmadı. Hayat hodbin. İnsanlar dersen hayattan daha hoyrat. Cennetin kapısı senin kalbinden geçiyordu ey Şems. Şimdi bütün kapılar ömrüme sürgülü. Aşk bizi birleştirmişken hangi ölüm geri çevirebilir ki bizi! Ey dizinin dibinde sabahladığım Şems! Bizim birbirimize söylediğimiz güzel sözleri, şu beli bükülmüş gökyüzü saklar. Bir gün gelir taşımaktan yorulur da sırları yağmura fısıldar. İşte sağanak sağanak yağan o yağmurlar aşkın gözyaşlarıdır.

Şems'in şehit edilmesinden bir kaç hafta sonra Mevlâna onun kokusunu almak için dergahtaki odasına girer. Taş duvarlar, tahta sedir, Acem kilimi ne varsa her şey Şems kokmaktadır. Duvardaki bir levhayı fark eder, daha önce görmediği sanki bir gece önce duvara asılmış bir levhadır. Yazıyı okur. Feryat figan ağlayarak odadan avluya atar kendini.

Karatay Akademi Yayınları

AŞKIN GÖZYAŞLARI
KİMYÂ HATUN
SİNAN YAĞMUR

Konstantinopol'un Kristina'sıdır. Putları çocuk yaşta yıkandır. Kelime-i Şehadet getirirken çocukça döktüğü yaşlar günü gelecek yüreğini zemzemleştirecektir. Kristina'dan Kimya'ya doğru adım attıkça Haçlı Savaşlarından yorgun düşen bedeni Anadolu topraklarında aşk ile yoğrulacaktır. Acıları çoğaltarak büyüyecektir.Bu acılar vuslatın dikenli yoluna götürecek birer çile demetidir.. Bu acılar rüzgârını bekleyecek közlerdir. Yaralıdır. Her ne kadar yaralı ruhuna hekim olmaya çalışsa da üvey babası Mevlâna, dinmeyecektir arayışın zor sorularında sancılaşan acıları.

Gülümsemeyi iğretilik olarak görür ay yüzüne. Aynaları kırar tek tek. Uçurum gibi derinleşen sessizliğine, baharı getiren bir ses duyar. Şems'tir sesin sahibi. Ancak gel gör ki sesin muhatabı değildir körpe yüreği. Susar. Uzaktan seyreder, gizli kaçamak bakışlarla arar Şems'ini. Dört mevsim saçlarına düşmüştür ıslak ıslak. Hercai gecelerin uykusuzluğunda Şems'i sayıklar boşluğa yuvarlanan harflerle. Kaderi keder, kederi kader olan yalnızlığında firaridir Kimyâ.

Kendimi bir suda seyrettim. Şadırvandan havuza doğru akan suda aradım benlik denen bulanıklığı. Yaşım henüz hayatın taze dönemi, ama asırların yükünü omuzlarımda hissediyorum. Her şey basit, sıradan geliyordu ta ki sen dergâha bir güneş gibi doğduğun güne kadar. Herkesin dilinde sen. Anlatılan sen. Anlaşılmayan da sen… Bu insanlar niçin Şems'i bu kadar dillerine doladılar diye düşünürken nereden bilecektim düşüncelerimin yüreğimi sana doğru kördüğümleştireceğini? Kime anlatsam? Kime döksem içimdekinin içindekini? Güneş misali aydınlığın ortada iken seni anlamayanlar beni nereden anlayacaklardı. Gerçi hoş anlasalar da ne olacaktı? Sen gelenekleri yıkandın, ben geleneklerde boğulan. Ben hayat zindanında kahramanını bekleyen masal kızı, sen uzun yolların yorgun yolcusu. İsmi gibi cismi de nur bahçeden Şems'im, kısmetim kapalıymış senden yana.

Gerektiğinde kartal olup uçan ben, şu an, aslan görmüş ceylan kadar ürkeğim. Ya tökezlersem baş koyduğum aşk yolunda, Mutsuz eder Kimya Hatun'u maşuğumu üzersem. Kalbim ile kavlim arasına koyduğum kapı; Ruhumu kapatıp gönlümü yakarsa...

Karanlıklardayım. Karanlıklardayım. Güneşim olmanı ne çok dilerdim, ama kapalı kapıların bir tek babama açılan kapıların… Vazgeç diye bakma bana, acımana bile razıydım, âşıklığın nasip olmadı bari bir nefeslik duanı hak edeyim ey Şems! Beni de İlahi aşk iklimine götürmeyecek misin?

Ben ki kadın denen çiçeği, on yıllar önce içimde soldurmuş. altını gümüşe çoktan boş vermişim, şan makam neyin nesi elimin tersi ile itmişim. Gönül ehli, aşk rehberi olmuşum. Ben ki ruhumda şehveti öldürmüş, Hiçbir varlığa arzu duymamışım, ey kokusu al gülleri kıskandıran Kimya! Yanan ve yakan ateşken; sönmüşüm. "Beni ilâhi aşka götür!" diyorsun. Ahh Kimya'm Belkıs'ın tahtını bir karıncadan istiyorsun. "Aşka ada kendini!" diyorsan Ey Babam! Binlerce Kimya sana ve Şems'e fedadır. Ben de nasipleneyim bu meşk-i derya'dan, uğrunuzda, bin Züleyha olabilsem…Elbette ki farkındayım tenime vurgun kulların, Alaeddin misali peşimde pervane olanların. Lakin onlar bilmezler ki ben tende değil candayım. Aşk uğruna Hakk yolunda kurbandayım…Ben Kimya'yım, sayenizde aşka aşiyan, gözyaşları sinesinde can bulan. Biçâreyim, divâneyim gölgenizde savrulan. Rabbim! Kimyâ kulunu da İlâhi aşk yolunda Rabiâ destanı ile mestân eyle!

KASIM 2011 DE BÜTÜN KİTAPÇILARDA.